C000265362

ROBIN LLYWELYN

SEREN WEN AR GEFNDIR GWYN

CYSTADLEUAETH Y FEDAL RYDDIAITH

Eisteddfod Genedlaethol Frenhinol Cymru 1992

Argraffiad cyntaf — 1992

ISBN 0 86383 985 1

ⓗ Llys yr Eisteddfod Genedlaethol

Cedwir pob hawl. Ni chaniateir atgynhyrchu unrhyw ran o'r cyhoeddiad hwn na'i gadw mewn cyfundrefn adferadwy na'i drosglwyddo mewn unrhyw ddull na thrwy unrhyw gyfrwng, electronig, electrostatig, tâp magnetig, mecanyddol, ffotogopïo, recordio, nac fel arall, heb ganiatâd ymlaen llaw.

Argraffwyd gan J. D. Lewis a'i Feibion Cyf.,
Gwasg Gomer, Llandysul, Dyfed

Doedd y clerc Zählappell ddim wedi cysgu o gwbwl drwy'r nos felly doedd ryfedd yn y byd ei fod o'n gysglyd o gwmpas ei waith yn Archifdy Sgrins Gwifrau Castell Entwürdigung y bore hwnnw pan wasgodd y rhif anghywir i'r blwch a chael tri chardyn geiriau yn lle'r un yr oedd arno'i eisiau.

'Fedra'i byth ddychwelyd rhain rŵan,' meddai wrtho'i hun ac aeth â nhw adra efo fo yn ei ges bach du. Byw ei hun roedd o mewn garat ym mhen uchaf un o'r tai rhes sydd â'u talcenni hirion yn gwyro dros Afon Häfling yng nghysgod y castell. Ar ôl pigo bwyta rhyw damaid o swper trawodd y cardiau'n reddfol yng ngheg ei beiriant a gwatsiad yn ddi-hid y golau gwyrdd yn chwalu a'r negeseuon hawlfraint yn dechrau fflachio'n goch: 'EIDDO ARCHIFDY RHYFEL YR YMERODRAETH. CYFRINACHOL' ond roedd Zählappell wedi hen golli diddordeb ac yn hepian yn braf yn ei gadair a'r geiriau canlynol yn dechrau rhowlio'n ara deg i fyny'r sgrin:

Tystiolaeth Un '''' yn dilyn . . .

Ar ôl y chwyldro papur, y noson y cawson ni'n rhyddid, y dechreuodd fy helyntion. Roedd sgwâr dre wedi bod yn llawn dop dynn drwy'r pnawn ac eto gyda'r nos a'r tafarndai'n gorlifo i'r strydoedd. Roeddwn i wedi bod yn rhy brysur yn chwilio welwn i chdi'n croesi stryd yn rhwla i sylwi fawr ar hwn a'r llall a'i fys ar f'ôl a hon a hon yn cilwenu'n gynnil wrth fy ngweld i'n pasio. Feddyliais i ddim byd ohono fo tan nes plannodd Dei Dwyn Wya'i benelin yn fy 'sennau fi a wincian arna'i'n slei. Nid asbri'r noson yn unig oedd yn sgleinio'n ei llgadau.

'Dal hefo dy draed yn rhydd mi welaf,' oedd y cwbwl ges i gynno fo.

'Be ti'n mwydro dŵad?' meddwn inna ond oedd o wedi llithro'n ôl i ganol y dorf. Wedi tindroi yn gwrando'r areithio cyrn siarad o bennau'r tyrau am sbelan bach arall a dim wisgi ar ôl i'm cadw i'n gynnas, mi godais fy ngholar am fy nghlustiau a'i chychwyn hi i rwla. Meddwl galw heibio chdi i Garrag Elin wnes i yn dechra, ond sut allwn i egluro un dim ichdi, Anwes bach, a geiriau wedi mynd yn arfau rhyngom? Croesi drwy'r twll dan stryd oeddwn i pan welais i Siffrwd Helyg eto a hitha'n ei chwman yn beichio crio a'i gwallt ar draws ei dannadd a chlais yn lledu ar ei boch hi a hitha'n hel ryw leiniau bach mwclis oedd ar chwâl hyd y concrid gwyn.

'Be ddigwyddodd, Siffrwd?' meddwn inna fel'na. Oeddwn i wedi taro sgwrs hefo hi gynna ar y sgwâr ond sgin i fawr i'w ddeud wrthi. Dyna fo, fydd hi byth a hefyd ar ben ryw helynt hefo rwbath, yn bydd.

'Jest gad di lonydd imi,' medda hitha'n sbio fel teigras arna'i a finna'n gweld colur ei llgadau'n gneud dwy ffrwd ddu lawr ei gruddiau hi. Un wyllt ydi Siffrwd Helyg Rallt yn gallu bod, fasa fiw ichdi'i chroesi hi yn ei thempar.

'Ond, Siffrwd . . . dim ond . . .'

'Jest dos. Dos at dy Anwes Bach y Galon di,' medda hi'n ffiaidd, 'ichdi gael gweld gymerith honno chdi'n ôl.'

Es inna, mynd am adra; ta' i ddim i ddal pen rheswm hefo hogan mor sbeitlyd.

Tu allan i Gorad Drw Nos yn eistedd ar pafin hefo'i ben yn ei ddwylo oedd Wil Chwil. Ddalltis i run gair ddeudodd o nac yn iawn y bys blaen dynnodd o o dan ei ên a fynta'n gwenu'n hyll arna'i ac yn dangos llond pen o begiau duon. Wnes i'm byd ond camu heibio fo ac i mewn â fi i chwilio am fwyd.

'Be sgin ti'n gnesol, Betsan?' meddwn i wrth Betsan

Bawb tu nôl i'r cowntar. 'Sut mae'r gwaith newydd yn plesio?'

'Ma gynnon ni lobsgows a meindia dy fusnas.'

Yn ôl y sôn mae Betsan Bawb yn cael ei thrin gan Gwil Sgrin Bach rŵan a dyna pam mae hi'n gweithio'r nos tu nôl i gowntar Gorad Drw Nos ac nid ar ei chefn i fyny grisiau'n Gorad Drw Nos fel bydda hi o'r blaen. Dyma'r drws yn agor a Wil Chwil yn hongian arno fo ac yn disgyn am ben y byrddau.

'Allan!' meddai Betsan Bawb a hitha'n estyn coes brwsh ac yn ei waldio fo ar dop ei sgwyddau. Symudodd Wil Chwil ddim. Lluchiodd hi'r coes brwsh ato fo wedyn a chroesi'n ôl at y cowntar. 'Synnu dy weld di hyd lle 'ma o hyd,' medda hi wedyn.

'Mi dwi 'di cael hen lond bol ar hyn,' meddwn inna'n dechra teimlo'n reit annifyr. 'Fedri di ddeutha'i be 'di'r holl siarad yma amdana'i mwya sydyn.'

'Mi fuon nhw yma gynna'n holi amdanach di.'

'Pwy felly?'

'Chwilio amdanach di maen nhw yndê? Ddeudis i ddim byd, cofia.'

'Be sy 'na i'w ddeud felly? I be fasan nhw'n chwilio amdana i?' Mae Betsan Bawb yn hen law ar bryfocio pobol ac am ddeud clwyddau a choelis i fawr yni hi. Ddoth Wil Chwil at y bwrdd a dechra mwydro a glafoeri a thynnu stumiau, felly mi rois ddwy uned ynni i Betsan am y bwyd ac allan â fi am adra. Dwn i'm oeddwn i'n disgwyl dim byd ond adra'r es i ar f'union rhag ofn.

Daeth ryw hen gnofa i'n stumog i'n syth pan welis i lygad y peiriant atab yn fflachio'n goch. Peth cynta wnes i oedd agor y nodyn oeddwn i wedi'i godi oddi ar y mat. Toeddwn i heb dalu llawer o sylw i'r newid byd fuodd drwy'r wlad ar y newyddion yn ddiweddar achos toedd pethau heb newid llawar hefo ni yn dre ac fel arall oeddwn i wedi bod i ffwrdd yn gweithio felly doeddwn i ddim radag honno'n dallt pethau gystal ag o'n i fod.

'Iesu bach,' meddwn i wrthyf fy hun yn darllan y nodyn. 'Mae o'n wir felly. Fischermädchen isio 'ngweld i ar fyrdar. Mi fydda'i yng Nghastall Entwürdigung cyn imi droi rownd a Rawsman ei hun yn blingo'r croen oddi ar fy nghefn i.'

Anghofiais i am y peiriant atab, do reit siŵr, a 'mysadd i'n cnocio'r rhif i'r ffôn tôn fel cnocall coed yn dyrnu boncyff.

Un flin oedd Fischermädchen yn cael ei deffro ganol nos. Ond pan ddalltodd hi wedyn pwy oedd yno mi newidiodd ei chân.

'Aha. O'r diwedd. Ble wyt ti wedi bod, Gwern?' medda hi'n ffalsio wedyn. 'Rydw i wedi bod yn disgwyl ti'n galw.'

'Do, mi wn i,' meddwn inna. 'Mi fydda'i draw 'cw peth cynta'n bora 'lwch. Oes nelo hyn rwbath â'r gwaith ar y rhwydwaith? Gwrandwch, mi ddeudis nad o'n i'm yn siŵr hefo'r meddalwedd newydd yn do? Ydyn nhw'n filan?'

'Bore fory wyth o gloch. Paid â poeni dim byd, Gwern. Tyrd am wyth, bob dim yn iawn.'

Oeddwn i wedi clwad Dei Dwyn Wya'n sôn am ryw Tincar Saffrwm neu rywun a bod hwnnw'n un sgut am groesi ffiniau hefo ffoaduriaid yn denig o afael y Cyrff heb Enaid. 'Hwnnw dwisio,' meddwn i wrthyf fy hun, 'hwnnw eith â fi i Tir Bach.' A dyma fi'n meddwl wedyn, 'Ia, ond dim ond yn y chwedlau newydd mae hwnnw a tydio'm yn bod go iawn felly bedwi haws. Damia hyn i gyd.'

A hyd yn oed taswn i'n digwydd coelio yn y Tincar Saffrwm, fel oedd y plant a'r hen bobol, wyddwn i mo'i rif adwy o, a beth bynnag, faswn i ddim wedi gallu cysylltu dros y ffôn tôn a gadal y gath o'r cwd i'r Rhai Sy'n Gwrando a'u tynnu nhwtha i 'mhen hefyd. 'Os na bydd gryf bydd gyfrwys,' meddwn i wrthyf fy hun yn gweld be oedd raid imi wneud.

Sôn am hel pac wedyn, lluchio beth bynnag ddeuai dan fy llaw i gwdyn. Meddwl dy ffonio di. Meddwl yn gallach. Cofio am y sgrin a chofio'r adwy. Chwalis i'r ffeil toeddwn i ddim i fod yn gwybod amdani. Rhoid negas bach i Fischermädchen ar amsar ymlaen ac allan â fi i stryd heb sbio'n f'ôl. Ges i bàs gin Wil Califfornia i'r steshon a cael a chael fuodd hi wedyn imi ddal trên nos a dim ond neidio'r ffens nath imi'i dal hi.

'Tocyn, washi,' meddai'r giard trên.

'Sgin i'r un,' meddwn inna.

'Talu felly. Tyd,' medda fynta.

'Dal dy ddŵr, taid, mi dalaf,' meddwn inna'n estyn fy nghardyn ynni iddo fo ac yn deud 'gwerth deugain' ac mi ges i docyn bach papur melyn allan o'i beiriant bol a'r inc heb sychu arno fo.

Des i ddim allan lle o'n i fod ond pasio heibio ymlaen i'r nos, heibio llefydd na welis i mo'u henwau nhw o'r blaen. Roedd y nos fel twnnal hir a gola'r cerbyd yn felyn ar y bobol a'r rheini'n hepian. Rhai diarth oedd rhai ohonyn nhw, rhai o Gwlad Alltud hefyd ac mi sodrais i 'ngwynab yn y gwydyr yn gwatsiad y diferion glaw'n rhedag ras ar draws ffenast allan rhag ofn i neb fy nabod i. Ta waeth ges i sleifio allan a'r bora'n glasu ar orsaf Gwastadaros heb i neb ffindio 'mod i heb dalu'n iawn. Arwyddion mawr crand sgynnyn nhw'n deud enw'r lle ond cytiau sment heb blastar ar y waliau fel acw sgynnyn nhw a'r llifoleuadau'n diffodd bob gafal fel yn Dre'cw. Rêl bobol ffordd hyn ydyn nhw hefyd achos peth cynta ddeudodd neb wrtha'i oedd, 'Su'mai diarth, mynd yn bell?'

Hogyn tacsis oedd o erbyn dallt ac mi aeth â fi ryw chydig o belltar ffordd.

'Tir Bach?' medda fo. 'Dim ffiars o beryg. Mae pawb isio byw. Sgin i'm ynni peiriant. Allan â chdi yn fan'ma a bora da.'

'Sinach,' meddwn inna wrtho fo a chodi dau fys arno fo fel oedd o'n cychwyn mynd. Cychwyn cerddad wnes inna wedyn ar hyd lonydd concrid hir a finna ddim yn siŵr i bwy gyfeiriad i fynd. Toedd hi'm yn oer felly ond fod yr haul mewn cwmwl a rhyw hen law smwc yn y gwynt o hyd. Mi benderfynais lle fasa'r haul tasa fo'n dangos ac mi gerddais tuag ato. Roedd y lôn bost yn codi o'r dre i fyny am y bryniau ochor draw, y dwyrain oeddwn i'n ei obeithio, a rhyw wal o greigiau tywyll yn codi tu ôl iddyn nhw cyn cael eu llyncu gan y cymylau. Concrid y lôn yn chwalu'n waeth bob milltir a'r pyllau'n lledu nes oedd y gwynab fel rhwyd am ffrwd garegog. Awran neu ddwy wedyn a finna fawr nes i'r lan dyma fi'n gweld ar ochor ffridd uwchlaw'r ffordd fwthyn bach fatha tŷ ha ond fod hwn hefo llond corn simdda'n mygu fel trên o fwg yn codi ohono fo. Mi es ato fo i holi oeddwn i ar goll neu beidio. Roedd 'na sbelan o waith cerddad ato fo i'w weld ond hira'n byd fyddwn i'n dringo pella'n byd fydda'r diawl lle'n mynd. O'n i'n chwys doman dail diferyd yn cyrradd y buarth wedi gwastraffu'r rhan orau o'r diwrnod a hitha'n dechra nosi'r ail noson. A dyma 'na dri o gŵn defaid lloerig o rwla ac yn fy rhusio fi dan goethi a sgyrnygu dannadd. 'Sa nôl y cnafon,' meddwn inna, 'neu mi cewch hi gin i.' Ond dal i chwyrnu o gwmpas fy nhraed ddaru nhw tan nes daeth llencyn hirfain llwm yr olwg o'r bwthyn, a hwnnw wedi ei lapio'n dynn mewn clogyn melyn, a rhyw fflachod sandalau am ei draed, a hwnnw'n pledu'r cŵn hefo dyrneidiau o gerrig o'i sach a gweiddi arna inna, 'Croeso i Haf heb Haul!'

'Goelia'i di, washi,' meddwn inna. 'Yn y chwedl yna mae'r Tincar Saffrwm hefyd, ia ddim?'

'Tyd i'r tŷ,' medda fo. 'Tydi amynadd Asgwrn Ffriddoedd ddim yn ddi-ben-draw sti.'

Es i ar ei ôl o i'r tŷ a hwnnw'n dŷ tywyll a myglyd a phob dim yn henffasiwn fel het ond am y sgrin werdd yn fflachio'n gornal. Clamp o ddyn mawr ydi Asgwrn Ffriddoedd a mop o wallt cyrliog coch am ei ben a locsan fawr goch am ei wynab. Ges i fara llefrith poeth gynno fo ac wedyn datws trwy'u crwyn a menyn a'u claddu nhw fel ci hefyd.

'Mi gest ti'r negas ar y ffôn tôn felly,' meddai Asgwrn Ffriddoedd. 'Be gadwodd chdi?'

'O, ia, do,' meddwn inna'n ffwndrus o glwyddog. 'Ydach chi'n nabod y Tincar Saffrwm?'

'Be wnest ti, Gwern, i dynnu'r Cyrff heb Enaid yn dy ben?'

'Wnes i ddiawl o ddim iddyn nhw.'

'Tyd rŵan, mae dy hanas di'n fflachio smeitin ar Sgrin y Gwifrau.'

'Ylwch,' meddwn inna wedi dychryn, 'Siffrwd Helyg sy 'di cychwyn hyn. Mae hi 'di troi Anwes Bach y Galon yn f'erbyn i a fasa'n ddim gynni hi brepio rhyw glwyddau amdana'i wrth Fischermädchen hefyd. Ond ylwch, Wil

Chwil ddaru falu ei mwclis hi a gneud iddi hi grio, ddim y fi!'

'A be ydi'r sôn yma amdanat ti a dy gastiau yn Gwlad Alltud? Goelia'i fod y Cyrff heb Enaid am dy waed a chditha wedi strywio'r rhwydwaith a hynny ar hap a damwain am dy fod ti'n beiriannydd dwy a dima! Mi gaet fwy o barch tasat ti wedi'i neud o'n fwriadol, myn uffar i.'

'Yn fwriadol ddaru fi'i neud o, Asgwrn Ffriddoedd, ia wir, oeddwn i isio drysu'u cynlluniau nhw, nid damwain oedd hi!'

'Choelia'i fawr.'

'Mi gewch chi goelio be fynnoch chi. Dwi'n deud dim,' meddwn inna'n bwdlyd.

'Dyna welliant,' meddai Asgwrn Ffriddoedd yn fawreddog. Rêl gŵr mawr ydio hefyd. 'Felly meddwl ffoi am Tir Bach oeddach di, ia?'

'Os dach chi'n deud, Asgwrn Ffriddoedd. Chi sy'n gwybod.'

'Mi welis ddigon run fath â chdi cyn heddiw.'

'Ydi Tir Bach yn bell?'

'Yn bell o lle, washi? "Ydi Tir Bach yn bell?" wir. Wyt ti am ddeud wrtho fo, Pererin Byd?'

'Mae o'n nes na ddoe ac yn bellach na fory,' meddai'r llencyn llwm.

'Wel fory dach chi'n cychwyn beth bynnag,' meddai Asgwrn Ffriddoedd.

'Ydi'r Tincar Saffrwm yn dŵad, syr?' meddwn inna'n ddiniwad.

'Nabod o, wyt ti?'

'Mae o yn bod felly yndi? Mae pawb wedi clwad y

chwedlau amdano fo'n hebrwng i Tir Bach y rhai sy'n ffoi o afael y Cyrff heb Enaid.'

Chwarddodd Asgwrn Ffriddoedd pan ddwedais i hynna a dechra curo'i law ar ei ben-glin. 'Ia, reit dda,' medda fo'n ffrwtian chwerthin o hyd. 'Wel mae o yma, reit siŵr ichdi, yndi. Ac mae o wedi bod yn gwitsiad amdanat ti'r falwan deircoes.'

'Ddrwg gin i am hynna.'

'Bora fory felly, Tincar Saffrwm, Pererin Byd a chditha i gychwyn i fyny am Tir Bach. Dyna fy ngorchymyn i oddi uwch. Dyma ichdi deithlyfr trydan i gofnodi'r siwrna. Diawl o bwys gen i be wnewch chi wedyn.'

'Diolch ichi, syr,' meddwn inna'n cymyd y teithlyfr a finna heb wybod be oedd o'n feddwl nac a oedd gen i le i ddiolch iddo fo neu beidio.

Gwlad fawr ydi Haf heb Haul, anfarth ddeudwn i. Maen nhw'n deud nad oes ganddi hi ddim ffiniau ond choelia'i fawr. Rhaid i wlad gael ffiniau ne tydi hi ddim yn wlad, siŵr. Asu, welis i rioed ffasiwn lefydd diffaith anghysball â be welis i'n ystod y daith drwyddi. Bryniau a moelydd am a welat ti i'r gorwal a dim cymaint â llwyn eithin yn tyfu arnyn nhw. Dim waliau. Dim llwybrau. Gwlad fel tonnau'r môr heb ewyn yn torri. Tasa gin ti borfa mi fasa'n sleifar o le i fagu defaid ond dim ond ar ryw glytiau brasach na'i gilydd fydda'r rheini'n hel i bori. Ond er bod yna ddim haul na phorfa toes yna ddim diffyg gwên ar wynebau'r bobol weli di yma a thraw. Dwn i ddim lle maen nhw'n byw achos welson ni ddim tai. Dwi'n ama ydyn nhw'n cael llawer o ymwelwyr neu fasan nhw byth mor glên. 'Croeso i Haf heb Haul!' fydda'r waedd bob gafal a'r munud hwnnw rhyw blant carpiog yn dŵad o nunlla ac yn hel o gwmpas ein traed yn gwenu arnon ni ac yn chwerthin. Ddim fel Tincar Saffrwm dan ei guwch rownd bedlan yn gwgu fel bwbach ar bawb. Dyn blin ydi o, toes 'na'm dadl. Cofia, mi fuodd o'n glên hefo fi'n ystod y siwrna, chwara teg iddo fo. Fydda fo'n gadal imi godi fyny tu nôl iddo fo ar gefn ei ful am filltir neu ddwy weithiau nes inni gyrradd cyffiniau'r Tiroedd Gwyllt. Mi fuodd raid i Pererin Byd gerddad bob cam, cradur.

'Well gin i gerddad,' fydda hwnnw'n ddeud pan fyddwn i'n cael pàs. 'Cerddad llwybrau geirwon byd ydi 'nhyngad i i fod a tasa 'na'r un ffordd ar ôl ar wynab haul daear mi gerddwn i eto mewn cylch fel llgodan caetsh.'

Doeddwn i'm yn ei nabod o'r adag honno felly oeddwn i'n coelio pob dim fydda fo'n ddeud ac yn meddwl ei fod o'n ddoeth ofnadwy. 'Ond pam wyt ti isio cario llond sachad o hen gerrig yn dy sach di i bobman? Toes yna ormodadd ohonyn nhw i'w cael ym mhob man yma?'

'Gwranda, washi,' medda hwnnw'n trio sgwario'i sgwyddau gwdihŵ, 'mae'n brafiach gin rai gario baich ar 'u cefnau na baich yn 'u clonnau. Ac mae'r rhain yn gerrig sbeshial.'

'Os ydi'r ddau ohonoch chi wedi stopio ffraeo,' meddai Tincar Saffrwm, 'mi gewch godi'r gwersyll ar yr esgair acw. Fydd hi'n nosi'n gynnar yng nghyffiniau'r Tiroedd Gwyllt yma.'

Dyna'r adag ces i wybod ein bod ni 'di cyrradd y Tiroedd Gwyllt. Dwi'm yn deud, oedd hi yn oer, argian oedd, a'r ias fel dwrn yn boreuau ac fel llafn yn torri'r niwl yn nos. Fasa'n ddim i dy llgadau di rewi ar gau ac mi fuodd jest imi fethu nabod Dei Dwyn Wya a hwnnw'n swagro ataf fi yn ei gôt bob tywydd.

'Gwern, achan,' medda fo a winc imi fel y winc ges i ganddo fo ar sgwâr dre. 'Wyt ti 'di cyrradd felly?'

'Dwyn Wya,' meddwn inna, 'O ble doist ti?'

'Cadw dy holi,' medda fynta. 'Calla dawo. Ddylis i fod y rhwyd wedi cau amdanach di yn Dre'cw.'

Mi ddeudis inna wrtho fo am yr helynt ges i a fynta'n chwerthin.

'Yli, Gwern,' medda fo, 'mi wyt ti'n gwybod ac mi dwinna'n gwybod nad oeddach di ddim yn gweithio hefo hogiau Isfyd Tir Bach, felly cadw dy glwyddau. Damwain oedd hi a dyna ben. Cofia, mi wnest lanast go hegar ar eu sustemau nhw'n do, chdi a dy flerwch. Mi liciwn weld gwynab Fischermädchen rŵan a chditha wedi denig o'i gafal hi. Diawl lwcus fuest ti erioed.'

'Mi gei di gadw dy lwc, Dwyn Wya, diolch yn fawr iawn ichdi,' meddwn inna'n methu rhannu'r jôc.

'Jest gweithia di ar dy stori, washi.'

'Pam maen nhw'n galw nhw'n Diroedd Gwyllt, Dwyn Wya?' meddwn inna i droi'r stori, wedi deud gormod wrth y diawl busneslyd.

'Dwn i'm yn Duw,' medda fynta. 'Hwyrach fod nelo fo rwbath â'r ffaith fod Gwylliaid y Gwifrau'n magu'r llydnod hynod yma.'

'Ydi'r llydnod hynod yn beryg?'

'O nacdyn sti! Dim ond dy larpio di'n fyw naen nhw i chdi. Mi sbydsan nhw chwech o rai gwell na chdi cyn brecwast, washi. Jest watshia di beidio sbio i'w llgadau trydan nhw. Ond coda di ben dy fys yn eu herbyn nhw ac mi fydd gin ti Dalcan Creigia i atab iddo fo. Hwnnw 'di'r un peryg go iawn, fo 'di pennaeth Gwylliaid y Gwifrau.'

Mi aeth Dei Dwyn Wya i'w siwrna wedyn. Mynd lawr am Haf heb Haul oedd o, medda fo, hefo negas bwysig i

Asgwrn Ffriddoedd. Medda fo yndê. Ond o nabod Dei Dwyn Wya, torri cỳt oedd o'n dangos ei hun yn bwysig. Ond chwara teg, mi ddaru o roid benthyg ei lurig orffwys imi imi gael cyrradd yn saff, medda fo. Un dda oedd hi hefyd yn sgleinio'n loyw ac yn cau fel blwch amdana'i. Rois inna ful Tincar Saffrwm iddo fynta achos ddeudodd o na fasa fo'n da i ddim byd inni yn y Tiroedd Gwyllt. Gormod o gerrig llithrig a ballu. Doedd Tincar Saffrwm ddim yn hapus iawn pan ffeindiodd o be oeddwn i wedi'i wneud. Fy ngalw i'n bob enw a bygwth fy lluchio i dros ben dibyn ac isio trio 'ngholbio i hefo'i ffon ond ei fod o'n rhy fusgrall a dyma finna'n cynnig cario'r baball yn lle'r mul ac mi dawelodd o wedyn. Ond wrth gwrs un sâl am gerddad ydi Tincar Saffrwm ac mi fuodd raid inni aros lle'r oeddan ni am y tro. Ond bargan dda oedd hi ddyliwn i achos faswn i byth wedi medru cysgu'r nos yn y Tiroedd Gwyllt heb y llurig orffwys, a'r llydnod hynod yn udo ac yn gwehyru ac yn cadw reiat drwy'r nos o amgylch y gwersyll ac yn trio deifio'n paball ni hefo'u llgadau trydan ac yn corddi'r graig yn dalpiau hefo'u carnau nes oedd y nos yn goleuo mellt yn storm wyllt am ein pennau ni. Toedd gin Pererin Byd ddim llurig orffwys ac mi fydda hwnnw'n crynu ac yn rhynnu drwy'r oriau bach heb gysgu chwinc a fynta'n griddfan ac yn deud ei badar dan ei wynt. Ond mae'n siŵr na rhan o'i benyd o oedd hynny i fod, a'i fod o ddim isio llurig orffwys iddo fo gael diodda'n iawn. Un rhyfadd ydi Pererin Byd.

Wrth gwrs fydda Tincar Saffrwm yn mynd o'i go'n lân hefo'r llydnod hynod ac yn gweiddi ac yn sgrechian nerth esgyrn ei benglog arnyn nhw drwy'r nos. 'Heglwch hi o'ma'r diawliaid uffar. Chewch chi'm byd yn fan'ma. Gleuwch hi!' Ac mi fydda fo'n estyn ei grafanc erlid ac yn eu bygwth nhw hefo hi heb sbio i'w llgadau trydan nhw a nhwtha'n cilio tu nôl i'r garn tan nes oedd Tincar Saffrwm wedi cadw'i grafanc erlid ac wedi mynd nôl i orfadd i'r baball ynghanol y nos a bob man yn ddistaw bach ar yr esgair drachefn. Ond fesul tipyn bach wedyn mi fydda'r llydnod hynod yn llechu allan o lech i lwyn o amgylch y gwersyll a nhwtha'n crio a chnadu'n annaearol ac yn fflachio'u llgadau trydan ac yn corddi'r creigiau hefo'u carnau tan nes oedd y storm fellt yn llenwi'r nos a Tincar Saffrwm yn mynd yn ulw las o'i go'n lân ac yn tyngu ac yn rhegi fel cythral ac yn dawnsio ac yn bowndian fel dyn o'i go.

Fel hyn buodd hi am nosweithiau. Un noson ym mol y nos dyma Tincar Saffrwm yn clymu cortyn am ei grafanc erlid ac yn ei phledu hi at y llydnod hynod a'r grafanc yn bachu yn ystlys un ohonyn nhw a dyma Tincar Saffrwm yn tynnu a'r llwdwn hynod yn sgrechian a'r grafanc yn rhwygo'r croen oddi ar y llwdwn o'i ysgwydd i'w bedran a dyna ichdi le fuodd yna wedyn a'r llydnod i gyd yn ubain ac yn rhuo ac yn crensian dannadd ac yn fflachio llgadau a'r un 'di brifo'n crio'n ddistaw bach ar lawr mewn pwll o waed a'r lleill yn sbydu'n ôl dros yr esgair tu nôl i'r garn a welwyd mohonyn nhw eto'r noson honno.

Bora trannoeth pan sbïis i allan dan ochor y baball pwy oedd yna'n gylch o amgylch y gwersyll ond Gwylliaid y Gwifrau yn un rhes ar gefn eu llydnod hynod a'u gwynebau nhw fel ffidil a'u breichiau ymhleth a'u llgadau nhw'n syllu'n fud ar yr un 'di brifo'n dal i orfadd yn ei waed yn eu canol nhw a'i dafod o'n llyfu'r gwlith a'i llgadau bach heb drydan o fath yn byd ynddyn nhw'n rhowlio fel marblis yn ei ben o. Ysgwyd Tincar Saffrwm ddaru fi i'w ddeffro fo, ond toedd hynny'n tycio dim achos oedd o 'di blino cymint ar ôl cael ei gadw ar ddihun bob nos gan y llydnod hynod.

'Tincar Saffrwm! Tincar Saffrwm! Mae'r Gwylliaid yma!' meddwn i a rhoi pinsiad hegar iddo fo ar ei drwyn piws.

'Gad lonydd imi'r sinach bach,' meddai Tincar. Y munud nesa dyma fo'n agor un llygad yn gron. 'Be ddeudist ti?'

'Gwylliaid y Gwifrau yma isio chi,' meddwn inna.

'O nefi, be nawn ni?' meddai Pererin Byd.

'Byddwch ddistaw y ddau ohonoch,' meddai Tincar Saffrwm. 'Mi a'i atyn nhw'n hun 'ta'r cachgwn diffath. Talcan Creigia a finna fel gwac a mew, siŵr Dduw, byta allan o fy llaw i, yndi'n tad, duwcs, tydi o ddim mor afresymol â mae rhai'n honni wyddoch, o nacdi.' Un dewr ydi Tincar Saffrwm druan.

Ac ar hynny dyma Tincar Saffrwm yn lapio'i glogyn amdano ac yn camu allan i fuarth y gwersyll. Dwi'n deud gwersyll ond toedd o fawr mwy na phaball a lle tân ar le gwastad dan gronglwyd y mynydd.

Gwatsiad oeddwn i dan ochor y baball a Pererin Byd yn gwatsiad hefo fi a ninna'n crynu a'r baball yn crynu hefo ni a ninna'n gweld y Tincar Saffrwm bach yn sefyll gerbron Gwylliaid y Gwifrau a'r gwylliaid i gyd yn cau i mewn amdano fo a rhai'n neidio lawr oddi ar y llydnod hynod ac yn cydiad ynddo fo ac yn ei ysgwyd o'n fygythiol ond dyma Talcan Creigia'n codi'i law iddyn nhw ei ollwng o.

'Tincar Saffrwm!' meddai Talcan Creigia, 'Briwo fy llwdwn wnest trwy drais du a'i werth a fynnaf. O daeog blin, mi gei dalu gwerth fy sarhad! Rhwymwch o!'

A rhwymo'r hen Tincar Saffrwm ddaru nhw hefyd a'i

luchio fo ar ei fol ar gefn un o'r llydnod hynod a bachu'i freichiau wrth ei draed o'n gengal dan fol y llwdwn fel na fedra fo ddim hyd yn oed godi llaw arnon ni a nhwtha'n mynd â fo.

A dyma Talcan Creigia'n stopio'i lwdwn ac yn troi aton ni'n cuddiad dan y baball, 'A chitha och dau'n llercian fan'na, mae yma darw llwdwn i mi a'i ben ar lawr a'i gig wedi ei ysu trwy drais du a'r iawn am hyn yw ei feddyginiaethu gennych oni bo iach drachefn a chyd ag y byddoch wrthi Tincar Saffrwm gaiff gyflawni gorchwylion fy nharw llwdwn yn Ninas Durlas o fore gwyn tan nos ac o nos ddu hyd wawr. A phan fo iach fy nharw llwdwn, Tincar Saffrwm a gaiff ei draed yn rhydd ac nid cynt na hynny!' Ac ar hynny dyma'r fintai'n carlamu oddi wrthym a'u llumanau hirion yn sgleinio o'u hôl a'u gwalltiau llaesion yn nofio ar y gwynt a chawson ni mo'n styrbio gan y llydnod hynod run noson oddi ar hynny byth wedyn.

'Bwwwww!' meddai'r un 'di brifo ac aethon ni allan i weld sut fedsan ni drio'i fendio fo. Oedd ei ystlys o'n gig noeth ac ar waetha'r oerfel roedd 'na gynthron wedi dechra magu yn ei glwyfau. Ddaru ni olchi'r briw hefo dŵr oer a halan a'r llwdwn yn chwythu ac yn glafoeri ond yn rhy wan i strancio. A dyma Pererin Byd yn estyn o'i sach rai o'i gerrig sbeshial chadal fynta ac yn eu gosod nhw ar hyd ystlys y llwdwn i guddio'r briw. Wedyn ddaru ni gynna tân i gadw'r cradur yn gynnas a berwi dŵr inni gael gneud uwd yn fwyd llwy i'w borthi o. Cysgu drwy'r nos heb riddfan na dim ddaru'n llwdwn ni wedyn a bora trannoeth mi fedrodd godi'i ben oddi ar y mwsog oeddan ni wedi'i bacio'n glustog o dan ei ben iddo fo, a'i llgadau bach o wedi stopio rhowlio fel marblis yn ei ben.

'Gwern Feddyg ddylan nhw d'alw di ddim Gwern Esgus,' meddai Pererin Byd a finna'n deud wrtho fo ella bod yna ryw dda yn ei gerrig sbeshial o wedi'r cwbwl.

Dair wythnos fuon ni wrthi'n mendio'r llwdwn a phan fuodd o farw oeddan ni'n sâl isio crio achos oeddan ni wedi dŵad yn benna ffrindiau hefo'r cradur a fynta wedi dŵad i lyfu'n gwynebau ni ac i chwythu gwynt cynnas i'n ffroenau ni.

'Sut claddwn ni o a'r ddaear 'ma fel haearn Sbaen?' Tydi Pererin Byd yn ddigon â gwylltio neb?

'Rho weddill dy "gerrig sbeshial" am ei ben o i hynny maen nhw werth i ni rŵan,' meddwn inna'n flin yn gweld bai arno fo a'i hen gerrig am bob dim. Cerrig o'r mynydd ddaru ni hel yn diwadd achos oedd Pererin Byd yn 'cau rhannu chwanag o'i gerrig sbeshial gwirion o.

Gadal y baball lle'r oedd hi wnaethon ni a'i nelu hi am y bwlch uwchben lle bydda Tincar Saffrwm yn pwyntio pan fyddan ni'n holi lle'r oedd adwy Tir Bach. Cerddad a cherddad a cherddad fuodd pia hi wedyn a'r cudynnau o gwmwl yn troi fel mwg oer o'n cwmpas ni ac mi fuodd raid i Pererin Byd ymostwng i rannu fy llurig orffwys yn nos neu mi fasa wedi fferru a ninna heb baball a'r ddau ohonom jest â diffygio a'r bwyd wedi mynd yn brin a'r dydd yn crebachu'n llai bob diwrnod a ias y mynydd yn cau'n dynnach amdanon ni bob nos. Mae'n siŵr ein bod ni wedi mynd o'r Tiroedd Gwyllt erbyn hyn ac wedi cyrradd canol Gaea Mawr achos doedd dim byd ond niwl yn chwyrlïo oddi tanon ni ac amball greigan fel ynys yn codi drwyddo fo. Cerrig mân a rhew oedd y llwybrau i gyd erbyn hyn a ninna ddim yn siŵr iawn p'run oedd y llwybyr iawn. Does 'na ddim lliw yn Gaea Mawr, dim coed, dim adar. Stwmp o ddydd a chlogyn o nos o ganol pnawn tan ganol y bora. Y diwrnod ola dyma Pererin Byd yn rhoid ei sach ar lawr ac yn ista'n dorch ar garrag.

'Mae 'nghlustiau i'n gwaedu a does gen i ddim teimlad ym modiau fy nhraed,' medda fo. 'Fedra i fynd dim pellach.'

'Wel ddaw'r adwy ddim aton ni,' meddwn inna'n gweld bai arno fo.

'Y fi 'di'r bai am hyn,' medda fynta.

'Ia, achos chdi sy fod fatha blydi gafr yn nabod y lle 'ma'r llipryn dienaid ichdi,' meddwn inna.

Ar hynny dyma 'na gawod o genllysg yn codi fel gwenyn blin dros ben y clogwyn oddi tanon ni ac yn ein pledu ni a ninna'n gwingo. Ddaru ni fedru cropian i gilfach yn y graig i lochesu ond doedd y llurig orffwys yn da i ddim mewn lle felly. Doedd cerrig Pererin Byd ddim i'w gweld yn helpu llawar chwaith a dyma finna'n gafal yn ei sach o ac yn ei phlymio hi dros ben y dibyn achos oeddwn i wedi cael llond bol ar ei lol penchwiban o a fynta wedi costio inni'n bywydau.

'Fasa'n rheitiach 'sat ti heb neud hynna,' meddai Pererin Byd a'i ben o'n hongian fel pen chwadan Siop Heliwrs ond toedd gen i ddim mynadd gwrando.

'Cer i grafu,' meddwn inna a'm llgadau'n cau a'm meddwl i'n troi fel cudyll coch yn bell bell uwchben ceunant tyfn, tyfn.

Ceunant coediog, heulog braf oedd o hefyd a finna'n plymio ac yn plymio nes oedd fy stumog i'n gneud tin dros ben y tu mewn imi a'r ddaear yn codi fel pelan i'm cwfwr i a finna'n trio codi 'mhen i'm stopio fy hun cyn hitio'r ddaear. Ond landio fel pluan ddaru mi'n diwadd, ym mherllan Garrag Elin a'r blagur yn berwi yn y coed falau a'r rhedyn glas yn tonni'n braf a'r pryfaid tes drostyn nhw'n tasgu'n yr haul ac ogla'r mwsog yn oer o Afon Gasag yn codi hiraeth am hogyn yn dal silidons hefo pot jam stalwm ac mi gerddis i tua Garrag Elin a chditha'n dŵad i drws ac yn gwenu arna'i heb ddeud dim byd a finna'n gwybod wedyn na breuddwydio oeddwn i. 'Ma hi'n oer drybeilig yn Gaea Mawr, Anwes Bach,' meddwn i. 'Fasa'n well gin i fod yma hefo chdi.' 'Dwinna'n dy garu ditha, 'ngwas i,' medda chditha, 'a tydwi ddim yn coelio straeon Siffrwd Helyg amdanach di.' Finna'n clwad ogla braf dy bersawr jasmyn di'n tonni drosta'i ac yn gwatsiad yr haul yn chwalu ar dy ddannadd. 'Biti na fedsa'r freuddwyd yma bara am byth,' meddwn inna. 'Pharith dim byd am byth, Gwern bach,' medda chditha'n glên. 'Fyddi di'n glên hefo fi am byth, Anwes?' meddwn i. 'Maen nhw'n chwilio amdanat ti,' medda chditha wedyn yn troi wrth glwad sŵn y babi'n crio'n dŵad o'r tŷ a'r cysgodion eisoes yn codi'n ara deg fel rhosod hyd y muriau gwyngalch a sŵn rhen afon yn dechra ymbellhau a llechi mawr y llwybyr yn dechra suddo dan fy nhraed a chditha'n codi llaw arna'i'n ara deg ac yn gwenu a finna'n methu symud bawd na throed na chodi llaw na deud dim byd.

Tystiolaeth Dau "" yn dilyn . . .

Ar gefn mulod y daru'r Corachod Duon ein cludo ni i Tir Bach wedi iddyn nhw ein rhwbio ni drostan hefo rhyw ddail fel dail tafol i'n dadebru ni a'r rheini'n llosgi'r croen fel dalon poethion. Clwyddau oedd stori Dei Dwyn Wya bod mulod yn methu tramwyo'r llwybrau uchal. 'Y ni ydi meistri Gaea Mawr,' fydda tiwn gron y Corachod Duon. 'Mi gawn bris go lew am daclau fatha chi gin Llwch Dan

Draed.' Clymu'n traed ni am foliau'r mulod a'n breichiau ni am eu gyddfau nhw ddaru nhw, i nadu inni gwympo i'r dibyn meddan nhw, a dal i fynd drwy'r dydd ac wedyn drwy'r nos a ffaglau tân yn goleuo'r nos inni. Toes gin i ddim co faint o ddiwrnodiau fuon ni wrthi ar y siwrna i Tir Bach.

Un ben bora mi wyddwn yn bod ni'n agos achos mi welwn ryw adar duon tebyg i gigfrain yn cylchu uwchben ac yn crawcian yn ddolefus. Toeddan ni ddim wedi gweld adar o fath yn byd ers inni adal Haf heb Haul ac mi wnaeth imi feddwl yn bod ni'n agos i Tir Bach. Oeddwn i'n iawn hefyd. Roedd y mulod yn bustachu mynd dros y creigiau ac er 'mod i a 'mhen yn rhawn y mul mi fedrais weld adwy'n agor ym mur y garn a ninna'n clwad ogla rhedyn yn llosgi drwy'r awyr dena. Mynd wedyn linc di lonc drwy gwm hir a'r llwybyr yn wastad am y tro cynta erstalwm. Dwi'n cofio ei bod hi'n dechra cnesu chydig hyd yn oed yng ngheg y bwlch, a chnesu fesul tipyn wnaeth hi wedyn. Mi roedd 'na ryw redyn rhyfadd fel gwymon yn dŵr yn codi allan rhwng y creigiau, a hwnnw'n wyrdd ac yn felyn yr un pryd. Uwchlaw, ar y bronnydd gwelwn amaethwyr wrthi hefo'u herydr y tu ôl i geffylau gwedd yn troi cwysi mawnog duon ar y ffriddoedd ac yn aros i sychu'r chwys oddi ar eu talcenni wrth ein gweld ni'n mynd heibio. Roedd y newid gwres yn drech na fi ac mae'n rhaid fy mod i wedi llewygu eto achos welis i ddim ar ôl hynna nes imi ddeffro mewn lle tywyll a gola'r haul yn chwara rhwng cerrig sychion y waliau. Fedrwn i symud bawd na throed a finna 'di cyffio drosta'i. Roedd Pererin Byd yn chwyrnu'n braf wrth f'ochor i ar y llawr pridd. Lwyddis i i rowlio tuag ato fo ac mi fedris i chwythu'n galad i'w glust o i'w ddeffro.

'Na . . . na . . . ' medda fo'n dal i gysgu, 'mi fedra'i egluro am y cerrig. Rhowch gyfla imi . . . '

'Taw â dy glebran a dadebra!' meddwn inna. 'Deutha'i lle ydan ni.'

'Y chdi sy 'na?' medda fo. 'Ddylis i dy fod ti 'di mynd dros ben dibyn . . . O, nacia, rŵan dwi'n cofio . . . Chdi luchiodd fy ngherrig i!'

'Taw am dy hen gerrig a deutha'i lle ydan ni!'

'Faint fues i'n cysgu?' Roedd 'na ryw brydar yn ei lais o a'i wefusau fo'n crynu. Oedd gin i biti drosto fo.

'Ers pythefnos,' meddwn inna'n greulon i'w bryfocio a finna ddim yn gwybod. 'A mi rwyt ti wedi bod yn malu cachu yn dy gwsg yr holl ffordd hefyd!'

'O na! Be ddeudis i?'

'Gormod o lawar, washi. Ydio'n wir am Tincar Saffrwm?'

'Dwn i ddim am be ti'n sôn,' medda fo'n breplyd. 'Lle ydan ni?'

'Dyna dwi'n ofyn ichdi, y llwdwn!'

'Lle? Lle?'

'Yli, Pererin Byd,' meddwn inna'n dechra colli mynadd, 'mi dwi isio gwybod lle'r ydan ni a dim ond y chdi sy'n gwybod achos dim ond y chdi fuodd yma o'r blaen os na yn fan'ma ydan ni. Yn Tir Bach ydan ni yndê? Atab nei di!'

Ar hynny dyma'r drws yn gwichian agor a chysgod dyn yn twllu'r bwlch. Gweld yn bod ni wedi deffro ddaru o, achos dyma fo'n rhoi clep i'r drws a ninna'n clwad sŵn ei draed o'n tincial fel piano dros y llechi rhyddion.

Toc agorwyd y drws drachefn a chwech pen yn erbyn

y gola'n sbio i'r gell a ninna'n methu gweld eu gwynebau nhw.

'Allan,' meddai un.

'Fedra'i ddim symud,' meddai Pererin Byd dlawd a dyma 'na bicall o rwla a'i wanio fo'n ei din. Mi gododd ar ei draed reit handi wedyn, a finna ar ei ôl o.

'Ffordd hyn,' meddai'r dyn.

Roedd y gola llachar tu allan yn sgleinio fel miloedd o sylltau i'n llgadau ni ac yn tasgu oddi ar ddail y coed ac yn sboncio o'r ffrydiau a'r pyllau. A phan fedrwn i weld yn iawn eto dyma fi'n chwerthin am ben Pererin Byd a fynta a'i wynab o'n ddu fel coliar a hwnnw'n chwerthin am fy mhen inna ac yn deud 'mod inna run fath. Ddaru ni ofyn gaen ni molchi.

'Na chewch,' meddai'r gwarchodwr.

'Mi gewch ddŵr o'n ffynnon i â chroeso,' meddai morwyn bach ddel ddaeth o rwla a sefyll yn y llwybyr.

'Brysiwch 'ta,' meddai'r gwarchodwr yn biwis.

A molchi ddaru ni hefyd a'r forwyn bach yn estyn dŵr ffynnon inni o'i phisar a hwnnw'n ddŵr oer oer ar ein gwynebau ni a'r haul yn gynnas ar ein cefnau ni a ninna'n teimlo'n well wedyn.

'Dew, clên ydyn nhw ffordd hyn,' meddai Pererin Byd ar ôl inni gychwyn eto.

Roedd 'na bob math o adar yn fflio'n rhydd hyd y lle, a'r rheini'n rhai na welis i rioed mo'u tebyg nhw ar run rhaglan natur yn Llawr Gwlad acw, a nhwtha'n galw ac yn chwibianu ar ei gilydd fel ryffarîs ac yn heidio i'r llwyni o'n cylch ni i gael sbio'n iawn arnon ni a chael gweld lle oeddan ni'n mynd. Roedd cerrig y llwybyr wedi treulio'n llyfn a'r rheini'n llaith ac yn llifo fel arian byw o'n blaenau ni rhwng dwy wal uchal ac i lawr am bentra o dai cerrig llwydion toeau llechi a'r mwg fel rhubanau'n codi o'r cyrn simdda. Cerrig sets oedd gwynab y strydoedd a'r rheini'n llyfn ac yn loyw ac yn esmwyth braf dan draed. Un tŷ oedd 'na'n fwy na'r lleill a banar Tir Bach yn dalog o bolyn ar ei ben o ac at hwnnw oeddan ni i'w weld yn cyfeirio'n camra. Neuadd oedd hi erbyn dallt, a dim tyllau'n y waliau tu mewn i hon ond waliau wedi eu plastro a'u lliwio hefo murluniau o ryw gwffio a brwydro a'r Cyrff heb Enaid yn cael tres gan filwyr Tir Bach a Gwylliaid y Gwifrau a'u llydnod hynod yn ei gleuo hi hefyd o flaen byddinoedd Tir Bach a'r rheini'n codi banar seran wen ar gefndir gwyn Tir Bach uwchben maes y gad a nhwtha'n siŵr o fod yn falch o gael curo'r gelyn yn lle cael eu lladd. Fues i'n hir yn studio'r fanar Tir Bach yna'n trio canfod y seran wen ond yn fy myw allwn i mo'i gweld hi.

'Llwch Dan Draed: Tywysog Tir Bach,' meddai dyn bach blin ar yr Orsadd. 'Dwisio atebion a dwisio'r gwir. Ydach chi'n dallt och dau?'

'Bedi'r cwestiwn, syr?' meddai Pererin Byd ac mi gafodd waniad picall gan un o'r milwyr am ei draffarth.

'Mi fyddwn yn falch o gydweithredu ym mhob ffordd gallwn ni, Llwch Dan Draed, syr,' meddwn inna. Estynnodd Llwch Dan Draed rolyn o femrwn ato fo a'i agor.

'Lle mae Tincar Saffrwm?' oedd ei gwestiwn cynta fo.

'Hefo'r Gwylliaid, syr,' meddai Pererin Byd.

'O'i wirfodd ynta o'i anfodd?'

'Ddaru nhw ddim cynnig dewis iddo fo, syr, os na dyna dachi'n feddwl,' meddwn i. 'Ond dyna fo, fo laddodd y llwdwn ac . . . '

'Yli di yma!' meddai Llwch Dan Draed yn dechra gwylltio, 'Waeth gin i bwy laddodd y llwdwn, mae Tincar Saffrwm i fod hefo chi'n mynd i'r Isfyd! Fedra'i mo'ch anfon chi hebddo fo!'

'Dio'm yn edrach yn debyg byddwn ni'n mynd felly,' meddwn i.

Mi wylltiodd yn gacwn wedyn a dechra gweiddi, 'Wyt ti'n lwcus ar y naw fod enw Tincar Saffrwm ar yr un papur â chditha neu mi fasa'n blesar o'r mwya gen i gael Llaw Lyfwr Gawr i dy dynnu di'n bedwar aelod a phen hefo'i ddeg pen bys!'

'Sorri, syr,' meddwn i'n trio tynnu llaw dros ei ben o. 'Wrth gwrs y byddwn ni'n mynd i'r Isfyd . . . Pa bryd fydd Tincar Saffrwm yn cyrradd?'

'Ffŵl wyt ti! Penbwl! Pen dafad! A'r Pererin Byd hurt yma hefyd! Chi gollodd Tincar Saffrwm a chi sy'n mynd i gael hyd iddo fo. Does dim byd mwy i'w drafod! Ac mae meddwl am be ddigwyddith ichi tasach chi mor hy â methu yn gneud hyd yn oed i fy hen waed chwerw i lifo'n oer yn fy ngwythiennau. Ewch â nhw o 'ngolwg i.'

'Dwi'n meddwl ei fod o isio inni achub Tincar Saffrwm,' meddwn i wrth Pererin Byd a ninna rŵan mewn cwt o safon yn ochor y neuadd.

'Dyna mae o isio?' meddai hwnnw'n dwp i gyd. 'Wyt ti'n meddwl y gallwn ni?'

'Nacdw,' meddwn inna'n swta a finna'n deud gwir wrtho fo am unwaith.

'Be os gwrthodan ni?' ganddo fo wedyn.

'Paid hyd yn oed â styriad y peth. Mae gynnon ni dridia i baratoi.'

Dew, fuodd hi'n iawn arnon ni wedyn tra buon ni'n Pentra Newydd. Dyna oedd enw'r lle erbyn dallt. Roedd

’na bentrefi erill yn y Cwmwd Coch ond hwn oedd yr un gora, medda pawb oedd yn byw yna. Erbyn dallt roedd ’na dri o gymydau erill yn y Cantra Canol a hwnnw’n un o bum cantra Tir Bach. Aros yn Pentra Newydd naethon ni, neu mi fasan wedi mynd ar goll reit siŵr.

Lle difyr oedd o hefyd blaw bod y cyflenwad trydan wedi hen gael ei dorri gan Wylliaid y Gwifrau a’i ddwyn gynnyn nhw i’w werthu i Gwlad Alltud. Am bod yna ddim trydan toedd Sgrins y Gwifrau’n da i ddim chwaith a negeswyr henffasiwn yn cario’r newyddion, fel y postmyn stalwm. Fyddan nhw’n mynd o Tir Bach i Haf heb Haul mewn llai nag wythnos yn ôl y sôn, ddim fatha ni’n gwersylla’n y Tiroedd Gwyllt ac yn mynd ar goll yn Gaea Mawr.

Mi gawson ni rwydd hynt i fynd i’r fan fynnon ni a dim ond deud ein bod ni’n gweithredu ar ran Llwch Dan Draed fydda raid inni ac mi fydda pob drws yn agor inni a phawb am y gora yn cynnig pethau inni.

Oedd Pererin Byd wedi gwirioni ac mi aeth i ddewis pob math o geriach o’r storfa, ac i chwilio am gerrig lliwgar o’r ffrydiau. Gadal llonydd iddo fo wnes inna a mynd am dro i dop pentra.

Oeddwn i wrth fy modd yn sbio ar yr adar yn sbio arnaf finna, ac yn chwibianu arnyn nhw a nhwtha’n sgrechian yn flin arnaf finna am eu gwatwar nhw.

‘Paid â dychryn Adar y Fflamau,’ meddai’r forwyn bach wedi dŵad o nunlla a’i phisar dŵr ffynnon ar ei phen hi.

‘Argol,’ meddwn inna, ‘Dach chi’n sgafndroed iawn goelia i.’

‘Un o Llawr Gwlad wyt ti yndê?’ medda hi. ‘Gwern wyt ti yndê?’

‘Ia wir,’ meddwn inna. ‘Sut gwyddost ti?’

‘Wennol Helyg Forwyn Ddŵr ydw i. Faint wyt ti’n aros eto yn Tir Bach?’

‘Tridia. Dan ni’n mynd i achub Tincar Saffrwm,’ meddwn i’n larts i gyd. ‘Deud i mi,’ meddwn i wedyn, ‘siŵr gin i fod gin ti deulu’n Dre’cw toes?’

‘Llawr Gwlad? Oes tad, cnithar. Siffrwd Helyg. Ti’n nabod hi? Symud i Tir Bach ar ôl i’r Cyrff heb Enaid fynd â ’nhad a ’mrawd ddaru ni pan oeddwn i’n fach. Anamal bydda’i’n clwad gin teulu dre rŵan. Fydda’i’n dal i sgwennu weithiau ond mae chwith inni ar ôl Post y Gwifrau. Tydi’r postmyn newydd ’ma’n ara deg chadal yr hen drefn.’

‘Dwi’n cofio chdi’n goro mynd, achan. Chwech, saith oẹd oeddat ti’r adag honno, ia ddim? Toeddwn inna fawr hŷn yn duwcs am wn i.’

‘Mae’n hwyr glas imi fynd â’r dŵr yma i Llwch Dan Draed,’ medda hitha wedyn a gwenu fel haul y bora. ‘Ella wela’i di hyd lle’ma.’

Eisteddis inna ym môn y clawdd wrth y ffynnon oer yn gwrando’r dŵr yn clecio i’r pwll ac yn gwylio Adar y Fflamau’n lluchio’u cylchau uwch fy mhen a’r rheini’n chwibianu ac yn chwincio’u llgadau arna’i ac yn neidio o frigyn i frigyn ym mrigau’r coed.

Gorfadd ar ei wely’n ddiog oedd Pererin Byd pan gyrhaeddis i. Wedi blino medda fo wedi bod yn dewis arfau at y siwrna i’r Tiroedd Gwyllt.

‘Am dro i dop pentra fues i yn gwylio Adar y Fflamau,’ meddwn inna. ‘Tyd, awn ni i chwilio am swpar.’

Aethon ni i dŷ Bol Fflamia Cogydd i gael bwyd ac ordro dwy botelad o wirod llus a chig rhost a thatws rhost a thorth a rhoid y cwbwl i lawr yn enw Llwch Dan Draed.

'Mi fydd rhaid i chditha ddŵad i chwilio am arfau hefo fi fory,' meddai Pererin Byd a ninna'n byta. 'Ac mae 'na waith dewis arnyn nhw sti.'

Ond nid i ddewis arfau hefo Pererin Byd yr es i drannoeth. Am dro i dop pentra'r es i imi gael gweld Adar y Fflamau'n mynd drwy'u pethau ac yn gneud eu campau.

'Haia, Gwern,' meddai Wennol Helyg dros ei hysgwydd a hitha'n plygu dros bwll y ffynnon i godi dŵr i'w phisar. Fydda Wennol Helyg byth yn gwisgo sgidiau a hitha rŵan wedi codi'i sgert am ei chanol a'i choesau noeth hi'n sgleinio'n wlyb yn yr haul.

'Ma hi'n braf heddiw, Wennol Helyg,' meddwn inna. 'Mae'r adar 'ma'n ddigon o sioe tydyn. Gymeri di joch o'r gwirod llus yma sgin i?' A dyma fi'n estyn y botal oedd gen i ers noson cynt ac yn ei chynnig hi iddi.

Mi ddoth i ista wrth f'ochor i wedyn a dyna lle buon ni'n yfad gwirod llus ac yn sgwrsio am Llawr Gwlad ac am Tir Bach ac am bob dim dan haul. A dyma fi'n rhoi fy mraich am ei chanol hi ac yn ei chlwad hi'n feddal ac yn gynnas drwy'i chrys. Mi roth hitha'i phen i orfadd ar yn ysgwydd i fel tasa hi 'di blino'n ofnadwy.

'Wyt ti'n ddel ofnadwy, Wennol Helyg bach,' meddwn i yn ei chlust hi a finna'n plygu drosodd i'w chusanu. Roedd ei gwefusau hi'n feddal ac yn gynnas a'i hogla blodau hi'n llenwi 'mhen i a'r haul ar fy ngwegil i'n braf a'r glaswellt oddi tanon ni'n esmwyth a finna'n cau fy llgadau ac yn ymgolli yn ei gwres hi ond fy meddwl i'n agor ynot ti ac a ninna'n caru oeddwn i'n clwad chwyrlïo'r pryfaid tes ac yn gweld o flaen fy llgadau y glaswellt emrallt yn tagu llwybyr Garrag Elin a'r gwenoliaid yn gwibio uwch fy mhen a'r mwsog yn sych ar gerrig rafon a'r dŵr yn troi'n ara deg fel gloyfion yn troi yn nhwll sinc ac yn clwad gwres yr haul yn dŵad o gerrig waliau'r berllan a gwas y neidar yn mynd igam ogam a'i 'denydd o'n chwyrlïo fel hofrenydd. Gosod cynfasau ar lein yn 'rar oeddach di a'r hogyn yn chwara hefo'r pegiau dillad wrth dy draed. Dyma fo'n pwyntio ataf fi ac yn gneud sŵn llyncu yn ei wddw fo a chditha'n troi i sbio arna' i'n dŵad i fyny'r llwybyr.

'Ddyla bod chdi heb ddŵad,' medda chdi. 'Mi fyddan nhw'n gwybod dy fod ti wedi bod. Calonnog! Poera fo allan y munud yma!'

'Dwi'n gweld dy golli di, Anwes Bach . . .'

'Fedri di ddim gweld colli rhwbath fuodd gin ti rioed mono fo.'

'Roi di imi beth o dy galon i fynd hefo fi? Mi fasa'n gysgod imi rhag y ddrycin lle dwi'n goro bod. Ydio fawr o beth i gyd i ofyn ichdi . . . '

'Mi caet ti hi gin i'n gyfa, Gwern, ond 'y mod i'n gwybod y basat ti'n ei hafradu hi. Ac ond am y twll fydd hynny'n adal y tu mewn imi a chditha'n bell oddi wrthan ni. A'r hogyn bach 'ma sy pia hi rŵan gymaint â finna, Gwern. Wyt ti'n gwybod hynna ac mae'n ddrwg calon gin i na fedra'i mo'i rhoid hi ichdi.'

Finna'n clwad y byd yn dechra oeri ac yn codi 'mhen ac yn clwad pistyll y ffynnon yn taro'n galad i'r pwll ac yn gweld cwmwl bach yn llyncu'r haul a Wennol Helyg yn agor ei llgadau ac yn codi ei phen i sbio. Roedd yr awal yn dechra gafal ac Adar y Fflamau wedi hen ddiflannu o'r coed a'r gwlith nos yn dew ac yn fygythiol ar y glaswellt.

'Damia'r cwmwl yna,' medda hi'n closio ataf fi.

'Wnei di ddim deud wrth neb 'mod i wedi bod yma hefo chdi'n meddwi a ballu na nei . . .' meddwn i a rhyw grafu yn fy llais.

'Na'i ddim siŵr,' medda hitha'n sbio'n syn arna'i.

'Gwranda, Wennol Helyg, cofn ichdi feddwl dim byd, dŵad yma wnes i i gadw cwmpeini ichdi achos oeddwn i'n meddwl dy fod ti'n unig yma heb neb ar dy gyfyl di'n codi dŵr drwy'r dydd ar dy ben dy hun. Y ddiod oedd wedi mynd i 'mhen i, dyna be oedd sti . . . Wnei di ddim deud wrth neb . . .'

Cwbwl wnaeth Wennol Helyg oedd codi'n ffrom, sythu'i dillad, cipio'i phisar dŵr a martsio oddi wrtha'i a'i thraed noeth hi'n clepio fel lledod ar y llechi llyfn.

Mynd yn f'ôl i'r llety wnes i hefo 'mhen yn fy mhlu ac ista wrth bwrdd hefo fy nhalcan ar fy mreichiau am yn hir tan nes daeth Pererin Byd i mewn a golwg poenus ar ei wynab o.

'Pwy sy 'di dwyn dy bwdin di eto?' meddwn i'n flin yn codi 'mhen.

'Wel wyt ti byth wedi dewis dy arfau ar gyfar fory,' medda fo. 'Brysia, well ichdi ddŵad rŵan.'

Ac mi es inna hefo fo imi gael troi fy meddwl at rwbath arall yn lle meddwl be fasach di'n feddwl ohona'i rŵan tasach di'n gwybod fy hanas i.

Dim ond arfau henffasiwn oedd gynnyn nhw i'w cynnig, meddai Pererin Byd a hwnnw rŵan yn gwybod pob dim amdanyn nhw wedi treulio dau ddiwrnod yn eu didol; y rhai newydd yn da i ddim achos toedd yna ddim digon o ynni i weithio'r rheini, dyna pam. Argian, welist ti rioed ffasiwn beiriannau oedd gynnyn nhw, taflegrau llaw a'r rheini'n dal i sgleinio, bwledi trydan gwyrdro yn eu pacedi gwlân cotwm gwyn, pelydrau gwywo, bob uffar o bob dim. A Pererin Byd yn hefru, 'Asu, hwn sy'n un da, Gwern, sbia, ac yli hwn sbia, argol gwych o beiriant tasa'r diawl yn gweithio.' Welis i lurigau gorffwys yno hefyd, yn galad ac yn dryloyw fel un Dei Dwyn Wya, rhai o bob maint i ffitio fel blwch, a chleddyfau trichoes a phicelli a bwâu croes wedi dŵad o'r amgueddfa. Yn yr hualdy oeddan ni'n eu dewis nhw a dyna ichdi le ofnadwy ydi hwnnw. Chwech o gorachod duon, llai hyd yn oed na Llwch Dan Draed, wedi dŵad o Ogofâu Gaea Mawr yn geidwaid carchar ar y lle a dau garcharor, dau o'r Cyrff heb Enaid, yn gadwynog ac yn gaeth gynnyn nhw mewn cell. Mi fydda pob un o'r corachod yn goro rhoid bonclust i bob un o'r Cyrff heb Enaid chwech o weithiau bob diwrnod a theirgwaith bob nos, felly doedd ryfadd yn byd fod golwg curiedig ar y ddau. Aethon ni atyn nhw am sgwrs rhwng dwy swadan.

Rhai clên oedd y Cyrff heb Enaid hefyd. Rhain sy'n goro cwffio dros Gwlad Alltud, felly oedd Tincar Saffrwm wedi egluro inni, ond ddim rhai o Gwlad Alltud ydyn nhw'n amal ond rhai sydd wedi cael eu meddiannu a'u cyflyru gan Rawsman a'i gynghorwyr a'u heneidiau nhw wedi eu tynnu oddi arnyn nhw ac os na chwffian nhw chân nhw monyn nhw yn eu holau. A dwi'n siŵr na Corff heb Enaid faswn i wedi goro bod tasa Fischermädchen wedi fy nal i ac wedi fy nhrosglwyddo i gynghorwyr Rawsman. A'r unig driniaeth i drio adfar eu heneidiau iddyn nhw yn Tir Bach ydi eu colbio nhw, achos heb drydan tydi'r gwifrau pennau'n tycio dim, ac mi roedd y colbio i'w weld yn weddol effeithiol hefyd. Gwirfoddolwyr o Ddinas Zigenner yn ne Gwlad Alltud oedd y ddau yma. Ond roeddan nhw'n canmol eu lle ac yn deud mor lwcus oeddan nhw wedi bod i gael byw drwy'r gyflafan yn Gaea Mawr pan drion nhw oresgyn Tir Bach y tro dwytha. Erbyn dallt toeddan nhw heb oroesi chwaith, ond fod Corachod Duon Gaea Mawr wedi eu rhwbio hefo'r llysiau llesol oedd gynnyn nhw er mwyn dŵad â nhw o farw'n fyw iddyn nhw gael eu gwerthu nhw'n wystlon can uned ynni y pen i Llwch Dan Draed a thrwy hynny gadw corachod yr hualdy mewn gwaith hefyd.

'Cwarai teg mae yn da yma,' meddai'r un moel a elwid Wasser Schwoll. 'Mae wedi bod yn ffaind iawn hefo nei.'

'Peth cas ydi cael eich colbio'n ddu las o fora gwyn tan nos, ia ddim,' meddwn i'n trio dangos diddordeb yn eu pethau nhw.

'Oh na!' meddai'r un a elwid Herz Erklingt hefo'i wallt llwyd caglog wedi ei lapio am ei gorff. 'Cofiwc mae'n da datblygi pethynas coffowol hefo pobowl pan ti'n mewn jeil ac mae ni'n lwcis iaen yn cawl dogyn o sylow.'

'Be mae o'n ddeud?' meddai Pererin Byd.

'Amsar cweir,' meddai'r corrach mwya.

'Am funud bach,' meddwn inna. 'Mi dan ni yma ar fusnas swyddogol dros Llwch Dan Draed felly cau hi a dos i neud panad inni.'

Mynd wnaeth o. Panad piso dryw oedd hi hefyd er bod y ddau heb enaid yn ei chanmol hi. Ddoth y corrach â bisgedi inni hefyd.

Gawson ni wybod lot o bethau gin y gwystlon bach heb enaid. Roeddan nhw'n synnu pan glywson nhw fi'n gwatwar iaith Alltud.

'Ond methu dallt ydw i,' meddwn i wedyn yn iaith ni i Pererin Byd gael dallt, 'methu dallt Gwylliaid y Gwifrau'n dwyn trydan Tir Bach. Ddylis i bod nhw mewn cynghrair hefo Llawr Gwlad a'r lleill i gyd o dan gronglwyd Tir Bach yn sefyll yn y bwlch i nadu i Gwlad Alltud ddwyn yn rhyddid ni eto. Ân nhw i nunlla yng ngyddfau'i gilydd fel hyn.'

'Mae ni'n dim gwybod. Achos heb ffrio does dim posyb concro ti. Ond fi'n siŵr mae ryfal yn dŵad achos mae Gwlad Altyd yn blin ti'n cymryd ryddid hep caniatâd. A tro hon mae ti'n cael dy goncro gan Gwlad Altyd am byth. *Zurüchschlagen!*'

'*Zugang Zurüchschlagen!*' meddai'r un moel ar ei ôl o. Roeddan nhw'n dechra cynhyrfu ac yn trio sefyll ond yr hualau'n eu cadw ar lawr.

'Caewch ych hen gegau hyllion,' meddwn inna wrthyn nhw'n troi tu min. A dyma fi'n galw'r corachod a rhoid un uned ynni yr un iddyn nhw a deud wrthyn nhw roid stîd ychwanegol i'r ddau y noson honno ac i ffwrdd â ni'n ôl i'r llety lle'r oeddan ni'n aros.

Oeddan ni i fod i gychwyn y bora wedyn. A'i chychwyn hi ddaru ni. Roeddwn i wedi dewis llurig orffwys a rhyw geriach erill at y siwrna, ynghyd â phaball a mul. Wrth gwrs roedd Pererin Byd wedi dewis mynydd o arfau, sachad o gerrig, a llond corlan o fulod i gario'r gêr. 'Ffwl,' meddwn inna wrthyf fy hun amdano fo'n afradu'r oll ar siwrna seithug.

Lawr yn Gaea Mawr ddaeth y tywydd i fyny fel polyn i'n hitio ni. Finna'n cael bydau hefo Pererin Byd a'i fulod anhydrin. Fydda'r pynnau byth a hefyd yn disgyn i'r llawr a Pererin Byd yn goro'u clymu yn eu holau, a'r mulod yn 'cau mynd neu'n 'cau stopio, rwbath i wylltio Pererin Byd ac i nadu'n siwrna ni.

Wedyn dyma'r Corachod Duon yn ymosod arnon ni ac yn dwyn deg o fulod Pererin Byd a hwnnw'n crio fel babi wedi gneud yn ei glwt.

'Taw rŵan,' meddwn i'n trio'i dawelu o. 'Mae gin ti chwech ar ôl yli, a dim ond un sgin i. Felly be ti'n gwyno dŵad?'

'Ia ond un oedd gin ti'n dechra,' medda fynta wedi sorri'n bwt. 'Ond oedd gin i un ar bymthag a rŵan sgin i mond chwech. Felly dwi 'di colli allan yn ddiawledig a dwi jest â thorri 'nghalon wir,' medda fo'n dechra crio eto.

'Paid â llyncu mul eto'r babi mawr,' meddwn i'n colli mynadd hefo fo.

'Sgin i'r un i sbario,' medda fynta.

Roeddwn i am estyn bonclust go hegar iddo fo ond dyna pryd y daeth Locustiaid y Rhew am ein pennau ni. Un lwcus ydi Pererin Byd.

Roeddan nhw'n codi dros y dibyn ac yn ein pledu ni fel cenllysg a'r mulod yn strancio a Pererin Byd yn crio'n waeth a finna'n diawlio ac yn melltithio ac yn trio lladd Locustiaid y Rhew hefo cleddyf dwylath.

Pan oeddan ni ar ein pedwar ar lawr dan bwysau'r locustiaid dyma'r Corachod Duon yn eu holau i'n sbeilio ni eto.

'Digon,' meddai Stormas Drycin, arweinyddas y corachod, ac mi gododd y locustiaid oddi arnon ni'n syth.

'Lluchiwch nhw dros y dibyn,' medda hi wedyn a dyma 'na bump corrach yn gafal yn y ddau ohonon ni.

'Mi dach chi'n gneud camgymeriad,' meddwn i wrthi hi.

'Nacdan ni'n tad,' medda hitha. 'Hwn ydi'r dibyn fyddwn ni'n ei ddefnyddio bob tro.'

‘Mae gynnon ni negeseuon ichi oddi wrth Corachod Hualdy Tir Bach,’ meddwn i wedyn.

‘Gollyngwch nhw,’ meddai Stormas Drycin.

‘Ar lawr mae hi’n feddwl,’ gwaeddodd Pererin Byd yn strancio a nhwtha’n dechra’i ollwng o dros ben y dibyn.

Mi gawson ni groeso gynnyn nhw wedyn, reit siŵr. Byddigions oeddan ni wedyn yn cael mynd i’w hogofâu nhw at eu teuluoedd a chael cawl Locustiaid y Rhew i’n cnesu ni.

Mi ddwedson ni wrthyn nhw fod Corachod yr Hualdy’n cofio atyn nhw a bod y ddau heb enaid yn dal i gael eu stido a bod yna sôn y bydda ’na fwy o Gyrff heb Enaid ar gael yn Gaea Mawr cyn bo hir iddyn nhw gael eu gwerthu nhw’n wystlon i Llwch Dan Draed fel gwnaethon nhw hefo’r ddau heb enaid a hefo ninna. Roedd Stormas Drycin a’i gŵr, Bach y Corrach, wrth eu bodd yn cael yr hanesion yma gynnon ni a ddaru nhw ddim hyd yn oed ddwyn ein mulod ni i gyd na’n harfau ni i gyd fel oeddan nhw wedi’i fygwth ond gadal inni gadw mul bob un a rhoid inni ddigon o frechdanau Locustiaid y Rhew. A rhoeson nhw lond cwdyn o ddail llysiau llesol inni hefyd yn y fargan.

‘Galwch heibio unrhyw dro,’ meddan nhw wrthan ni a ninna’n canu’n iach.

‘Mi wnawn ni pan fedrwn ni fforddio,’ meddai Pererin Byd yn sych.

‘Wyt ti’n faterol iawn a chditha’n d’alw dy hun yn bererin,’ meddwn i wrtho fo ar ôl inni gychwyn.

‘Bedi materol?’ medda fynta.

‘Wrth dy fodd hefo lot o eiddo ac arfau a mulod a ballu.’

‘Ches i rioed ddim byd o’r blaen a beth bynnag, dwi’n licio anifeiliaid felly be sy o’i le ar hynny?’

‘O, dim byd mwn,’ meddwn inna’n troi oddi wrtho fo ac yn ei anwybyddu wedyn.

Gawson ni lonydd gan Locustiaid y Rhew a llwyddo i gyrradd y Tiroedd Gwyllt erbyn y gyda’r nos honno heb chwanag o helbul. A dyna lle’r oedd y baball yn dal yn ei lle yng nghanol y gwersyll ar esgair y mynydd, a chorff y llwdwn hynod yno o hyd, dan doman o gerrig, ond aethon ni ddim yn agos ato fo’r noson honno. Roedd pennau’r creigiau oddi tanon ni’n codi drwy’r cymylau fel ynysoedd mewn môr o wlân cotwm, a’r haul yn machlud yn gneud y gwlân cotwm yn binc i gyd. Roedd y cymylau i’w gweld mor solat braf fel basach di’n disgwyl iddyn nhw dy ddal di’n hawdd tasat ti’n neidio oddi ar ben clogwyn i lawr. Ddaru ni luchio chydig o gerrig oddi ar ben dibyn ond oeddan nhw’n diflannu cyn hitio’r cymylau felly oeddan ni’n methu gwybod oeddan nhw’n cael eu dal neu beidio. Ddoth y nos amdanon ni wedyn ac aethon ni i’r baball. Roedd hi’n dawal fel y bedd, a dim sŵn llydnod hynod i’n dychryn ni drwy’r nos, ond oedd sŵn anadlu Pererin Byd a sŵn sisial cynfas y baball yn mynd yn fawr fawr ac yn llenwi ’mhen i ac yn nadu imi gysgu. Lwc bod gen i’r llurig orffwys hefo fi.

Bora trannoeth ddaru ni fynd i sbio ar fedd y llwdwn hynod. Tynnu chydig o gerrig o gwmpas ei ben o ddaru ni i gael gweld sut oedd o. Run fath oedd o, wedi marw, ond oedd y tywydd oer (‘a’r cerrig sbeshial’, yn ôl Pererin Byd) wedi ei gadw fo’n o lew heblaw am y cynthron yn ei glwyfau fo.

‘Wyt ti’n meddwl gwneith y llysiau llesol ’ma’i adfar o o farw’n fyw?’ meddai Pererin Byd.

'Digon o waith,' meddwn inna. 'Waeth ichdi drio am wn i.'

Cynna tân a dadmer chydig o rew o'r mynydd wnaethon ni a'i ferwi o wedyn a gneud te hefo peth o'r llysiau llesol ac ar ôl tynnu'r cerrig i gyd oddi am ben y llwdwn hynod, bacio'r dail te yng nghlwyfau'r creadur a thywallt peth o'r te i lawr ei gorn gwddw fo a rhwbio rhai o'r dail ar ei ben o ac erbyn hynny oedd hi'n amsar cinio.

Aethon ni i'r baball i gael cinio. Brechdanau Locustiaid y Rhew oedd gynnon ni, y rhai ddaru'r Corachod Duon ffeirio hefo ni am y gwyddau rhost a'r selsig sbeis oeddan ni wedi eu cludo at y siwrna. Pethau hyll eu blas ydyn nhw a fawr o faeth ynddyn nhw chwaith nelo'r golwg sydd ar y Corachod Duon.

Wrthi'n trio llyncu'r brechdanau yma oeddan ni pan glywson ni lais bach yn deud 'Bwwwwww' a dyma ni'n codi ac yn mynd allan i weld.

Roedd y llwdwn hynod wedi codi'n grynedig ar ei bedair coes ac yn sbio o'i gwmpas. Y croen wedi mendio i gyd ar hyd ei ystlys o blaw am graith bach siâp crafanc ar ei ysgwydd o lle'r aeth yr arf i mewn. Roedd o wedi mynd yn ddychrynllyd o dena a'i 'sennau fo'n golwg drwy'i groen.

'Hwrê!' meddai Pererin Byd, 'Mae'r cerrig sbeshial wedi gneud eu gwaith!'

'Cadw dy ddathlu'r ffwlbart,' meddwn inna, 'a dos i ferwi sosbennad o uwd iddo fo reit sydyn iddo fo gael bwyd.'

'Toes gynnon ni ddim,' medda fynta, 'dim ond brechdanau Locustiaid y Rhew.'

Mi sglaffiodd y llwdwn hynod y cwbwl o'r brechdanau locustiaid a finna'n anfon Pererin Byd i chwilio am fwsog a glaswellt a ballu. Hwnnw'n dychwelyd hefo coflaid fawr o frwyn a mwsog a'r llwdwn wrth ei fodd yn eu cnoi nhw'n swnllyd. Erbyn bora trannoeth oedd y llwdwn yn iach fel cneuan a ninna on dau yn dechra gwanio o eisiau bwyd.

'Be sy 'ma i frecwast heddiw?' meddai Pererin Byd a fynta newydd ddeffro.

'Dim byd.'

'Ydi'r llwdwn wedi llyncu'r cwbwl?'

'Yndi siŵr Dduw. A chditha'n wastio dy nerth yn cario llond sachad o gerrig i bob man. Dwn i'm yn duwcs,' meddwn i'n ddiamynadd. 'Be arall sgin ti yn y sach yna?'

'Chwanag o gerrig sbeshial.'

'"Arbennig" ydi'r gair,' medda finna. 'Dangos!'

'Nachei. Dos o'na. Gwll . . . ' Ond roeddwn i'n gryfach o dipyn na Pererin Byd a dyma fi'n tynnu'r sach oddi arno fo ac yn twallt ei chynnwys hi ar lawr y baball. A be ddyliat ti oedd gynno fo o dan y cerrig? Tuniau o ffa pobi, tuniau o sardîns, pacedi o grempogau, jam, menyn, talpiau o sioclad . . . a dwy ŵydd rost.

'Wel myn uffar i'r bolgi hunanol,' meddwn i wedi gwylltio'n gacwn. 'Cuddiad yr holl fwyd yma oddi wrtha'i ac yn hel yn dy fol yn fy nghefn i ac yn cymryd arnat dy fod ti jest â llwgu! Mi dy luchia'i di dros ben dibyn am hyn y snechgi barus!' Faswn i heb wneud mae'n siŵr ond oedd o'n ddigon i'w ddychryn o.

'Ond mi rydwi jest â llwgu. Dwi heb fyta dim byd o'r sach, wir yr. Hyfforddi'n hun i oresgyn temtasiynau ydw i, dyna'r cwbwl . . . Ga'i roid y bwyd yn ei ôl rŵan?'

'Chlywis i rioed ffasiwn lol. Goresgyn temtasiynau wir. Os nad estynni di'r agorwr tuniau imi'r munud yma mi fydd y demtasiwn i dy labyddio di hefo'r blydi cerrig "sbeshial" yna'n drech na fi a fydda'i ddim hyd yn oed yn trio'i goresgyn hi!'

Gawson ni sleifar o frecwast wedyn a'r ddau ohonon ni'n teimlo'n well. Rargol, does 'na ddim diwadd ar gastiau'r hogyn Pererin Byd yma, nagoes wir.

Ei chychwyn hi wnaethon ni wedyn. Y ddau ohonon ni ar gefn y llwdwn hynod a'r ddau ful yn dilyn y tu ôl inni. Gadal y baball lle'r oedd hi wnaethon ni eto achos oedd gynnon ni un sbâr. Gadal i'r llwdwn hynod ddilyn ei drwyn fel licia fo a ninna'n gobeithio y bydda fo'n taro ar lwybrau'i gynefin fasa'n mynd â ni i Ddinas Durlas, ffau'r Gwylliaid, ond ddaru o ddim.

Un peth da am Pererin Byd ydi golwg ei llgadau fo, medru gweld pen pin ganllath oddi wrtho fo a deud ydi hi wedi rhydu neu beidio. Fasa fo'n methu'r peth amlyca a hwnnw dan ei drwyn o, wrth gwrs, ond ta waeth am hynny, mi welodd o'r peilonau. Rhesiad o beilonau trydan yn martsio dros y bryniau ymhell islaw medda fo, a finna'n gweld dim. Oedd y llwdwn hynod yn 'cau mynd y ffordd honno felly dyma ni'n mynd ar gefn y mulod ac yn clymu rhaff am wddw'r llwdwn a dwy raff wedyn un bob un am goleri'r mulod a llusgo'r llwdwn ar ein holau ni felly. Mi fasa'r tarw llwdwn wedi gallu'n llusgo ni i ebargofiant tasa fo wedi bod awydd a fynta bedair gwaith maint y ddau ful hefo'i gilydd, ond dŵad yn ein sgil ni fel oen llywath wnaeth o chwara teg iddo fo. A doedd dim traffarth cael y mulod i'w symud hi hefo crwmffast o darw llwdwn hynod yn chwythu y tu ôl iddyn nhw a fuon ni fawr o dro'n cyrradd y peilonau. Roeddan ni wedi dŵad o'r creiglefydd geirwon i fawndir hir undonog a phlu'r gweunydd yn moesymgrymu'n isel o flaen y gwynt. O'r ochor draw roedd 'na oleuadau coch a melyn yn fflachio ac yn goleuo'r cymylau isal. Aethon ni at y golau'n ara deg bach rhag i neb ein gweld ni, ond toedd yna neb yno. Y gwifrau rhwng dau beilon oedd wedi cael eu dadfachu a homar o raffan wifrau'n dŵad i lawr ohonyn nhw, a'r gwreichion yn tasgu'n enbyd ac yn gneud sŵn ffrio mawr dros bob man.

'Gwylliaid y Gwifrau sydd wedi bod wrthi'n fan'ma mae'n siŵr,' meddai Pererin Byd.

'Taw â deud,' meddwn inna.

Dilyn y rhaffan wifrau wnaethon ni am yn hir, a hitha'n ymddolennu fel sliwan fawr ddu rhwng y bryniau a'r corsydd. Dim ond a hitha'n dechra nosi ddaru ni weld goleuadau Dinas Durlas yn y pelldar. Sylwi ar y cymylau'n olau wnaethon ni i ddechra, ac wedyn gweld y lle'n agor ar y gorwal fel cawod o sêr wedi cwympo i'r ddaear.

Roedd y llwdwn hynod yn dechra cynhyrfu'n synhwyro fod y praidd yn agos. Roeddan ni'n clwad sŵn y llydnod hynod eraill o bell er nad oeddan nhw ddim yn cadw ffasiwn reiat ag y byddan nhw ar yr esgair. Oedd Sam, ein llwdwn ni, wedi cael ei gefn ato erbyn hyn. Hwnnw'n glamp o lwdwn nobl yn ddwylath i'w wegil a'i ben o fel pen tarw du'n chwythu gwynt poeth i'r awyr ac yn fflachio'i llgadau. Un dof fydda fo hefo ni, diolch byth, a fynta'n mynnu cysgu'r nos hefo'i ben yn sticio i mewn i'r baball.

A dyna be wnaethon ni'r noson honno ond codi'r baball ar y mawndir ac aros ynddi tan y bora, rhag ofn inni golli Sam yn y twllwch. O'n cwmpas ni'n bob man doedd yna ddim byd ond sŵn y llydnod hynod yn brefu ac yn chwyrnu ac yn cnoi cil, a'u hogla clòs nhw'n drwm ar yr awal oer.

'Chysga'i byth mewn lle fel hyn,' meddai Pererin Byd.

'Diolch byth,' meddwn inna. 'Mae isio i rywun gadw llygad ar Sam, cofn iddo fo gymryd y goes.' Sam oeddan ni'n alw fo, achos toeddan ni ddim yn gwybod ei enw iawn o.

'Nei di'm trio denig oddi wrth Pererin Byd na nei Sam?' meddai Pererin Byd.

'Bwwwwww!' meddai Sam.

Y bora wedyn oedd Pererin Byd yn chwyrnu o'i hochor hi a Sam wedi ffoi. Mi rois i gic iddo fo'n ei glust a fynta'n sgrechian.

'Mi dy ladda'i di am hyn, y sgerbwd diffath,' gwaeddis i arno fo.

'Tu allan mae o,' meddai Pererin Byd yn rhwbio'i glust.

Aethon ni allan i sbio. Doedd 'na ddim byd ond môr o lydnod hynod yn pori'n braf o'n cwmpas ni'n bob man a bob un yn debyg i'w gilydd. Dim ond pan fyddan nhw'n flin byddan nhw'n fflachio'r llgadau trydan felly toeddan ni ddim mewn peryg. Ond tasa gin i llgadau trydan fy hun mi faswn wedi'u fflachio nhw ar Pererin Byd a'i losgi o'n golsyn.

Roedd y mulod hefyd wedi'i gleuo hi hefo Sam yn y nos. Oeddan ninna ar ein cythlwng ac yn wan fel cathod. Gadal y baball sbâr wnaethon ni a bustachu 'mlaen tua Dinas Durlas. Roedd yna'r ffasiwn olwg arnon ni fel na wnaeth 'na neb sylwi arnon ni.

Lle gwyllt iawn ydi Dinas Durlas. Tydi hi ddim yn ddinas o'r iawn ryw, dim ond gwersyll o gytiau sinc a gwifrau fel gwe pry cop yn mynd i bob cyfeiriad. Mae yna sŵn ffrio dros bob man yna, a'r gwifrau'n fflachio ac yn mygu ac yn chwythu ac yn clecian fel dwn i'm be.

'Esgusodwch fi, chwilio am Talcan Creigia ydan ni,' meddai Pererin Byd wrth ryw flagardas wyllt yr olwg oedd wrthi'n pluo chwadan yn nrws ei chaban.

'AAAAAAAaaaaa!' meddai honno'n sgrechian nerth esgyrn ei phen ac yn gwllwng gafal yn y chwadan. Mi sgrialodd honno fel cath i gythral oddi wrthi dan grawcian a hitha'r flagardas yn gweiddi ac yn pwyntio bys yn orffwyll atom. Meddwl wnes i hwyrach nad oeddan nhw ddim wedi arfar hefo pobol ddiarth yn dŵad i'w plith nhw. Cyn pen dim oeddan ni gerbron Talcan Creigia a hwnnw'n sbio'n rhyfadd arnon ni.

'Mi ddothon ni â'r llwdwn,' meddwn i.

'Cyfod o'r llawr 'na'r cwtrin,' medda fynta a dyma nhw'n rhoi hwb imi dan fy nhin nes oeddwn i'n codi hannar llathan i'r awyr. 'Lle mae o felly?'

'Denig nath o neithiwr, syr,' meddwn i. 'Pererin Byd 'ma oedd i fod i'w warchod o ond mi gysgodd. Mae o wedi denig hefo'r ddau ful oedd gynnon ni. Mae'n siŵr ei fod o hefo'i ffrindiau ynghanol y praidd.'

'Wyt ti ddim yn meddwl 'mod i 'di clwad honna o'r blaen, washi,' meddai Talcan Creigia'n estyn cyllath ac yn dechra tocio peth ar ei locsyn. 'Mae gen i ddeng mil o lydnod hynod ar y fawnog.'

'Mae gynnoch chi ddeng mil ac un rŵan,' meddai Pererin Byd druan.

'Cer â'r dyn digri am dro, Llafn Archoll,' meddai Talcan Creigia. 'Pam na ddangosi di dy gasgliad o waywffyn iddo fo?'

Oeddan ni'n clwad sgrechiadau Pererin Byd am yn hir wedyn.

'Diawl gwirion ydi o hefyd,' meddwn i. 'Fo 'di'r bai.

Ond mi ffeindia'i'r llwdwn ichi, Talcan Creigia, gwna'n wir. Geith Tincar Saffrwm ei draed yn rhydd wedyn?'

'Nacheith. A chei ditha ddim chwaith. Dwi'n flin. Dwi'n biwis. A does yna ddim byd yn fy mhlesio. Mae Matsian Dafod yn 'y mhen i bob munud. Mae ar bawb unedau ynni imi ac mae arna inna unedau ynni i bawb. O leia mi ga'i funud o hoe pnawn 'ma pan fydd hi'n amsar bwydo'r llydnod llwgu. Dipyn yn esgyrnog oedd y llall 'na ond ta waeth. Dwrn Mynydd, Ysu Brynia, ewch â fo!'

'Mae'n ddrwg gen i am eich trafferthion, syr,' gweiddis i ar f'ôl a finna'n cael fy llusgo allan gerfydd fy nhraed. 'Be uffar sy mor arbennig am y blydi llwdwn yna beth bynnag?' meddwn i'n biwis wedyn a'r ddau wylliad yn fy nghlwad i.

'Mae hi 'di canu arnat ti, washi. Colli tarw llwdwn Talcan Creigia. Ha ha ha . . .' A nhwtha'n chwerthin am 'y mhen i fatha 'swn i'n glown yn syrcas.

'Be'n union oedd gwaith y tarw llwdwn gollon ni felly?'

'Ha ha ha. Mi ffeindi di ddigon buan. Tincar Saffrwm 'di ymlâdd erbyn hyn, mi fydd o'n falch o dy help di, goelia i. Mewn â fo, hwb iddo fo i'r caetsh, Ysu Brynia!'

Deu, golwg wedi blino oedd ar Tincar Saffrwm hefyd. Prin y daru o godi'i ben i sbio arnaf fi'n fflio mewn i'r caetsh. Mae'n rhaid bod y llydnod hynod 'ma'n troseddu'n amal meddwn i wrthyf fy hun, a llond y caetsh ohonyn nhwtha yma hefyd, a'r rheini'n drewi'n waeth na Tincar Saffrwm.

'Sut wyt ti stalwm, Tincar Saffrwm?' meddwn i cofn nad oedd o ddim wedi fy nabod i.

'Nid heno,' meddai'r cradur a hwnnw'n ffwndro.

'Fi sy 'ma, Gwern Esgus!'

'Wyt ti ddim yn gweld fod croes goch ar ochrau'r rhain?'

'Nacia, Gwern Esgus wedi dŵad i dy achub di, Tincar. Y llwdwn laddist ti'n iach fel cneuan eto.'

'Do tad, syr, wedi trin rhain neithiwr. Sylwch ar y croesau!'

'Twyt ti ddim fatha 'sach di'n dallt, Tincar Saffrwm! Mae Pererin Byd yma hefyd yn rhwla. Mi gawn ni fynd o'ma rŵan, gei di weld!'

'Mae'n anhepgor.'

'Yndi, Tincar, yndi mae o.'

'Syr, mae'n anhepgor fy mod i'n cael ystol hefo golygfa dros damaid o bapur newydd hefo Tachwedd o'r ochor allan ar ei waelod o os gwelwch chi fod yn dda neu mi ffoniaf am chwaneg o wyau.'

'Dwn i'm,' meddwn inna'n methu gneud rhych na gwellt o'i baldaruo fo. 'Beth bynnag, ddaru ni golli'r tarw llwdwn ar y ffordd yma felly dwn i'm pryd gawn ni fynd o'ma rŵan.'

'O'r taclau anghyfrifol! Mi'ch lladda'i chi! Lle mae Pererin Byd?'

'Fuodd o'n ddigwilydd hefo Talcan Creigia. Llais da sgynno fo'n gweiddi 'de?'

'*Oedd* gynno fo, cradur, bechod. Heddwch i'w lwch o. Faint neith hi o'r gloch? O, yndyn erbyn hyn faswn i'n meddwl.'

'Stopia fwydro a siarad yn gall, ddyn!'

'Ia, wermod a hannar mewn pwcad ddeudis i a dim triog ar ei ben o tro 'ma diolch yn fawr i chitha'r sguthan flêr ichi.'

'Callia, Tincar!'

'Sut mae'r gŵr yn licio'n carchar felly? Mae o'n well ei le 'na meddan nhw chadal bod acw hefo chitha'r fflegan fudur ichi ddim yn golchi cynfasau cyn eu byta nhw ac mi wn i amdanoch chi'n hel yn ych bol a finna ar 'y nghythlwng y pwdin gwaed gwyddau uffar ichi ac yn gwario 'nhipyn pres i bob dima ar ych hetiau capal a'ch hancesi cnebrwng y gingron ddrewllyd ichi'n sbeilio'r coed o'u dail yn gaea ac yn lartsio hyd lle'ma fatha tasach chi'n perthyn i'r Wyddfa ond mi gewch ail! Mi ro'i daw arnach chi o gnaf . . . o gnaf mi wnaf . . .'

'Gwll fi'r uffar gwallgo,' gweiddis inna a fynta'n trio fy nhagu fi'n meddwl na Mrs Saffrwm oeddwn i a honno wedi hen fynd i'w hatab ar ôl iddo fo wneud amdani hi un noson chwil heb ddeud wrth neb a fynta wedi cael llond bol. Pererin Byd oedd yn gwybod yr hanas a fynta wedi gwllwng y cwbwl drwy'i gwsg ar ochor mynydd Gaea Mawr gynt.

Diolch bod yna ddigon o gerrig rhyddion hyd lawr a finna'n codi un drom, ac yn estyn homar o ochor pen iddo fo hefo hi nes oeddwn i'n gweld sêr bach yn chwyrlïo o gwmpas ei ben o a fynta'n gwllwng gafal ac yn chwalu i'r llawr fel castall tywod ac yn gorfadd yn fan'no'n griddfan ac yn glafoeri gwaed ac yn paldaruo'n ddistaw bach wrtho fo'i hun. Es inna i ista'n gongol caetsh oddi wrtho fo i gael pendroni uwchben fy helynt.

'O be ddiawl wna'i rŵan?' meddwn i wrthyf fy hun. 'Lle mae Pererin Byd y bradwr, wedi mynd a 'ngadal i? Mae Tincar wedi colli'i farblis i gyd ac mi wna inna golli'n rhai finna yma hefyd . . . O be wna'i . . . I be oedd isio iddyn nhw ddŵad o gwbwl i chwilio amdana'i? Ma 'na rai gwaeth na fi wedi cael aros a neb yn eu herlid nhw . . . Y gnawas Siffrwd Helyg yna ddaru ddechra hyn i gyd ac mi wn fod honno fel gwac a mew hefo Fischermädchen ac wedi deud wrthi pwy heintiodd feddalwedd yr Adran Ddarbwyllo . . . A rŵan hyn . . .' Oedd fy mhen bach i'n fregus fel plisgyn wy robin goch a'r gawall yn dechra troi fel tonnau'r môr o flaen fy llgadau i a'r llydnod hynod yn gwthio'u trwynau lleithion i 'ngwynab i a'r twllwch yn cau amdanaf i a dyna lle'r oeddwn i gefn dydd golau'n sefyll ar lwybyr trol Garrag Elin eto a'r dail yn gawod a'r rhedyn yn goch a'r rhoncwellt yn llaith dan draed a'r llwybyr fel cacan sebon o lithrig a'r brain yn crawcian o frigau llwm y coed derw ac ogla cors ar yr awal a'r afon yn gwisgo rhubanau gwynion am y cerrig a'r glaw mân yn glynu yn fy ngwallt a'r mwg taro'n chwalu o'r corn simdda ac mi rois gnoc ar y drws a dy lais ditha'n galw 'Dowch i mewn' a finna'n mynd mewn ac ogla tân coed ac ogla smwddio'n gynnas drwy'r lle a chditha'n rhoid yr haearn smwddio i lawr ac yn sbio arna' i hefo llgadau pen pin.

'Be tisio?'

'Dŵad i weld Calonnog a chditha.'

'Tydi o ddim yma. Mae gin ti wynab. I ddŵad yma'n ddidaro i gyd a phawb wedi clwad dy hanas di. Dos o'ma'n ôl at dy Wennol Helyg di'r ci drain uffarn ichdi ac at y lleill hefyd!'

'Lle mae o 'ta?'

'Hefo Siffrwd Helyg. Chei di mo'i weld o eto. Dos o 'ngolwg i. Tydw i ddim isio dy weld di.'

'Ga'i egluro?'

'Tyd gam yn nes ata'i ac mi gei di'r haearn smwddio 'ma yn dy wynab. Jest cer o'ma!'

'Bydda'n ofalus hefo'r Siffrwd Helyg yna. Bydda'n ofalus, Anwes Bach. Mi gei di wybod eto pwy sy'n driw ichdi a phwy sy ddim.'

'Allan y basdad dauwynebog! A paid byth â twllu'r lle 'ma eto!' Dyma chdi'n dechra f'ysgwyd i fel rhigyl groen a 'ngwthio fi at y drws nes oeddwn i'n siglo'n ôl ac ymlaen a chditha'n 'yn hitio fi o gwmpas fy mhen hefo'r haearn smwddio a finna fel brwynan o flaen gwynt ffriddoedd a'r tŷ i gyd yn twllu ac yn troi mewn twnnal oddi wrtha'i fel dal llygad i ben chwithig sbienddrych a llais Pererin Byd yn gweiddi, 'Deffra, Gwern, deffra nei di' a hwnnw'n sefyll uwch fy mhen i'n fy ysgwyd i fel doli glwt ac yn curo 'mhen i efo'i esgid.

'Be ddiawl tisio?' meddwn inna. 'Dwi'n cysgu'r uffar, gad lonydd imi.'

'Dadebra Gwern, brysia! Tyd, dan ni'n mynd!'

'O lle doist ti, Pererin Byd?' meddwn inna wedyn wedi dŵad ataf fi'n hun. 'Ddylis i dy fod ti wedi'i chael hi'n o hegar gynnyn nhw am fod yn hy ar Talcan Creigia?'

'O do, hynny,' medda fo fatha tasa fo'n hen law ar gael ei golbio. 'Ond mi ges i hyd i'r llwdwn hynod ac mae Talcan Creigia'n deud y cawn ni fynd rŵan.'

'Lle cest ti hyd iddo fo, Pererin Byd?'

'Y fo gafodd hyd i fi,' medda fo'n crafu'i drwyn yn fyfyrgar. 'Gorfadd ar waelod ffos oeddwn i a Dwrn Mynydd yn gwllwng y llydnod llwgu o'r gorlan lwgu'n barod i'n llarpio fi pan ddoth 'na lwdwn hynod anfarth o'r tu ôl iddo fo a pheniad iddo fo i mewn i'r ffos ar fy mhen i a gwyro'i ben mawr du i lawr ata'i wedyn a finna'n cydiad gafal yn ei gyrn o a fynta'n 'y nhynnu fi allan ac yn llyfu 'ngwynab i ac yn chwythu gwynt cynnas ogla bisgedi i fyny fy nhrwyn i tra oedd y llydnod llwgu'n llowcio Dwrn Mynydd. Oedd yna graith siâp crafanc ar ei ochor o a finna'n gweiddi, 'Sam tarw llwdwn hynod Talcan Creigia!' A felly ddaru fi gael maddeuant am fod yn hy ar Talcan Creigia er toeddwn i ddim wedi meddwl bod yn hy arno fo'n lle cynta ond ei fod o'n groendena fel llyffant a . . .'

'Wel da iawn a cau dy geg rŵan,' meddwn i ar ei draws o. 'Lle mae Tincar Saffrwm inni gael mynd â hwnnw hefo ni?'

'Mae o hefo'r mulod.'

'O dwn i'm,' meddwn inna'n ddigalon, 'meddwl na mul ydi o rŵan mae o?'

'Nacia sti. Meddwl na cyfrwy ydi o mae o ac isio gorfadd ar gefn mul a'i draed a'i ddwylo fo'n gneud cengal am fol y mul fel cafodd o'i glymu gin y Gwylliaid, ac isio i finna ista ar ei ben o.'

'Wel o leia chawn ni ddim traffarth i fynd â fo hefo ni felly,' meddwn inna a'r ddau ohonon ni'n mynd o'r caetsh ac Ysu Brynia'n dal y gliciad inni.

'Ddrwg gin i am Dwrn Mynydd,' meddwn i wrtho fo'n mynd allan.

'Diawl o bwys gen i,' meddai Ysu Brynia.

'Nid arferol gennyf ddiolch i neb am ddim,' meddai Talcan Creigia a ninna'n sefyll ger ei fron o yn y Cwt Mawr. 'Felly gleuwch hi o'ma. Oes yna un dim yr hoffech chi fynd hefo chi'n gofrodd?'

'Faswn i'n hapus iawn taswn i'n cael cadw'r cerrig yma ddaru fi gasglu'n eich ffos chi,' meddai Pererin Byd.

'Cadwa nhw a'u trysori nhw felly,' meddai Talcan Creigia. 'Tincar Saffrwm, beth gymeri di?'

'Iro fy nghenglau hefo saim gwyddau i'r lledar gael stwytho os gwelwch chi hi deudwch fy mod i'n cofio ategu rhagair.'

'Ysu Brynia!' meddai Talcan Creigia, 'Rho gelpan i'r

ynfytyn.' A dyma Ysu Brynia'n rhoid celpan i Tincar Saffrwm a hwnnw'n diolch yn glên iddo fo.

'Gwern Esgus,' meddai Talcan Creigia yn troi ataf finna. 'Beth yw dy ddymuniad di'n gofrodd o Ddinas Durlas?'

'Wel, syr, gan eich bod chi mor hael yn cynnig, a fasa'n bosib ichi adfar cyflenwad trydan Tir Bach, os gwelwch chi fod yn dda? Mae hi'n llwm yna heb deledu, wyddoch chi.'

'Iawn,' meddai Talcan Creigia. 'A rŵan, yn iach och tri. Cofiwch fi at Llwch Dan Draed . . . O, a dwedwch wrtho fo fod y gwifrau'n darogan rhyfal.'

'Mi wnawn ni'n siŵr, syr,' meddai Pererin Byd ac allan â ni at y mulod. Pererin Byd wedyn yn addasu Tincar Saffrwm ac yn codi ar ei ben o ar gefn y mul ac i ffwrdd â ni am Tir Bach heb sbio unwaith drach ein cefnau rhag ofn inni gael ein galw'n ôl.

Tystiolaeth Tri "" yn dilyn . . .

Mae gin i go bod y siwrna'n ôl i Tir Bach wedi bod yr un mor hir, oer a diflas â phob siwrna arall ond sgin i fawr mwy o go na hynna o achos bod Tincar Saffrwm wedi sglaffio pecyn ynni fy nheithlyfr trydan a finna wedyn yn methu sgwennu fy nodiadau fatha bydda'i'n arfar gneud. Mae'r holl daith wedi mynd yn gowdal o drafferthion digyswllt yn fy mhen.

Ta waeth, cyrradd Tir Bach naethon ni o'r diwadd mae'n rhaid a dyna i chdi groeso gawson ni wedyn. Fflagiau gwynion Tir Bach allan hyd y strydoedd a'r bobol ar bennau'r tai'n gweiddi ac yn chwifio breichiau o ffenestri'r llofftydd ac yn lluchio papur sidan bob lliw lawr am ein pennau ni ac Adar y Fflamau'n lluchio'u cylchau uwchben ac yn sgrechian fel adar o'u coeau arnon ni a phibgyrn y seindorf yn mewian a'r drymiau'n bowndian a'r haul yn taro nes oedd fy mhen i'n troi fel pen Wil Chwil fora Sul.

Wrth gwrs roedd Pererin Byd wrth ei fodd 'toedd. Meddwl na ar ei gyfar o oedd y dathlu i fod oedd o mi wranta a fynta'n wên o glust i glust yn codi llaw ar y bobol ac yn siglo fyny lawr am ben Tincar Saffrwm iddo fo gael gweld dros bennau'r bobol i gyfri faint oedd wedi troi allan ac yn dwrdio am fod neb wedi traffarth taenu dail palmwydd o flaen ei ful o. A Tincar Saffrwm oddi tano fo ag un llaw wedi dŵad yn rhydd o'r clymau gynno fo a fynta'n chwifio'i ddwrn ac yn diawlio ac yn damio ac yn gweiddi rhyw lol botas ac yn trio codi'i ben i boeri ar neb fydda'n dŵad yn rhy agos.

Rhwng y ddau yma'n mynd drwy'u pethau a'r dorf yn gwasgu arnon ni a'r mulod yn trio pori'r papur lliwiau toedd fawr ryfadd iddi gymryd awran go lew inni gyrradd neuadd Llwch Dan Draed a toedd ryfadd yn y byd wedyn fod hwnnw'n flin achos ma gas gynno fo gael ei gadw i witsiad.

'Lle ddiawl ydach chi 'di bod?' medda fo'n lle rhoid croeso inni fel y dylsa fo.

'Wedi bod yn Tir Gwyllt ac wedi achub Tincar Saffrwm o afal Gwylliaid y Gwifrau,' meddai Pererin Byd yn gwenu fel giât.

'Tyd yma,' meddai Llwch Dan Draed.

Pererin Byd yn dringo'r grisiau bach at lwyfan yr orsadd. 'Plyga ymlaen,' meddai Llwch Dan Draed a heb ddeud gair arall o'i ben dyma fo'n estyn taran o dduar iddo fo ar ei dalcan. 'Lembo hurt,' medda fo wedyn a tatsan arall iddo fo ar ochor ei ben. 'Dwi yma'n disgwyl wrthoch chi ers awr a deng munud a does yna neb yn cael sarhau Llwch Dan Draed fel hyn heb dalu gwerth sarhad tywysog. Dallt?' A dyma fo a'i ben-glin i fyny rhwng coesau Pererin Byd nes oedd hwnnw'n plygu fel llyfr ac yn cwympo'n hwdal i'r llawr dan riddfan. 'Wyt ti'n dallt rŵan, y sinach bach digwilydd?'

'WWwww YYYyndw, syr . . . WWWwww . . . Ddrwg iawn gin i, syr . . . Neith o'm digwydd eto, syr,' meddai Pererin Byd a dim gwên ar gyfyl ei wynab gwyngalch.

'Dyna welliant,' meddai Llwch Dan Draed. 'Cyfod o'r llawr 'na'r cynthronyn yn lle difetha sglein fy llechi. Un drewllyd wyt ti hefyd . . . dos, symud oddi wrtha' i lawr at y ddau fwnci arall 'na!' A dyma fo'n estyn cic iddo fo dan ei ben ôl nes oedd o'n fflio drwy'r awyr ac yn landio ar ei drwyn wrth ein traed ni.

'Pam na fi sy'n 'i chael hi bob tro?' meddai Pererin Byd yn dorcalonnus drwy'i ddagrau a finna'n ei gicio fo iddo fo gau'i geg.

'Reit,' meddai Llwch Dan Draed, 'dyma ichi anfoneb bob un am werth fy sarhad i. Awr a deng munud o amsar tywysog ar ddeng mil o unedau ynni'r awr, felly tair mil wyth gant wyth a phedwar ugian uned ynni yr un ichi i'w dalu o fewn saith niwrnod. A rŵan, pa chwedlau o'r Tiroedd Gwyllt?'

Rois i gic arall i Pererin Byd i hwnnw godi ar ei draed i siarad a dyna wnaeth o a deud, 'Mae Matsian Dafod Mistras Talcan Creigia'n deud bod yna ddim chwedlau ar ôl rŵan. Llygradd wedi andwyo meddalwedd cyfrifiadur y chwedlau. Ac mi ges i gerrig cochion o ffos Talcan Creigia wyddoch chi, syr, lle oeddwn i fod i gael fy sglaffio gan y llydnod llwgu, syr, ac mi ges 'u cadw nhw hefyd fel cofrodd gin Talcan Creigia am 'mod i wedi cael hyd i'w lwdwn hynod o a dyma'r cerrig gora ges i rioed erioed, syr, ylwch, ydach chi'n 'u gweld nhw'n chwincio ac yn fflachio?'

'Tyd â nhw yma . . . Fi pia'r rhain rŵan.' Roedd hi'n bechod gweld Pererin Byd druan yn llaesu'i weflau a fynta'n trosglwyddo'i gelc bach o gerrig cochion i Llwch Dan Draed.

'Mae Tincar Saffrwm yn ddistaw iawn,' meddai Llwch Dan Draed wedyn. 'Tynnwch y rhwymyn yna o'i geg o inni gael clwad be sgynno fo i'w ddeud.'

'Gyda'ch cennad, syr,' meddwn inna, 'dwi'n ama a fydda hynny'n ddoeth, syr.'

'Gwna fo!' Ac mi dynnis i'r rhwymyn a'r cadach oeddan ni wedi'u stwffio i geg Tincar Saffrwm i roi taw arno fo.

'Tincar Saffrwm,' meddai Llwch Dan Draed, 'cyflwyna dy adroddiad o Ddinas Durlas. Gefaist ti dy drin yn o lew yno?'

'Dim ond fy nhrin ges i i uffar beddiawlsymatar arnoch chi gyd yma a lle mae'r saim gwyddau archebis i ydach chi byth wedi iro'r cenglau, mae'r garwdan yn rhydd o'r strodur a Duw yn unig a ŵyr lle mae'r hogyn penchwiban yma wedi rhoid y dindres mi ddylid 'i gosbi o'n llym am hyn dwi'n deuthach chi a faint gwell ydwi o ddeud a neb yn gwrando arna'i pan fydda'i'n deud bod isio tynhau'r gengal a hwn yn marchogath fatha tasa gynno fo lond tronsyn o forgrug ydio fawr ryfadd fod ei ful o'n strancio, Iesu gwyn un gwirion ydi hwn, a toes yna ddim byd yna rhwng y ddwy glust gabatsian yna sgynno fo bob ochor i'w ben o mi wn i hynny o chwerw brofiad a finna 'di bod yno droeon yn chwilio am y dindres a dim byd yno ond rhyw we pry copyn a hen gopi o *Daith y Pererin* a hwnnw'n llwch drosto fo a'r tudalennau i gyd yn sownd yn ei gilydd ac mae'r diawl bach yn gwybod yn iawn na fedra'i ddim aros ogla'r eli 'na fydd o'n rwbio hyd ei din am ei fod o'n gadi ffan bach meddal heb arfar ar gefn mul wedi goro cerddad i bob man fatha crëyr glas heb 'denydd argol ma isio ichi gnocio synnwyr i'w ben o oes yn tad ac os na wnewch chi yna mi wna inna watsiwch chi be dwi'n ddeuthach chi!'

'Dyna ddigon!' meddai Llwch Dan Draed yn gwylltio.

'Paid â ffalsio hefo fi dim ond am dy fod wedi colli'r cyfrwy gora oedd gin ti ond chei di mohona i a dyna ben! Cer o 'ma i uffarn!'

'Sodrwch y cadach yn ôl yn ei geg o,' gwaeddodd Llwch Dan Draed yn sboncio i fyny ac i lawr yn gandryll o'i go. 'Taswn i'n cael caniatâd mi arteithiwn i o i farwolaeth hefo procar poeth, o gwnawn.'

'I be tisio caniatâd y cwd uffar a chditha'n dywysog? Tywysog dwy a dima'n goro cael caniatâd gin Triw fel Nos a'r cwbwl wyt ti 'di corangwngw ngwww wwww ngngng wwww . . . ' Mi wnaeth y cadach ei waith a'r rhwymyn yn ei ddal o yn ei le.

'Wedi colli ei farblis i gyd mae o, syr, wedi goro byw hefo llond caetsh o lydnod hynod bob dydd a nos ers iddo fo ladd Sam tarw llwdwn Talcan Creigia,' egluris inna. 'Rhaid ichi ddim cymryd sylw ohono fo, syr. Felly mae hi hefo fo rŵan.'

'Be amdanach di 'ta, washi?' meddai Llwch Dan Draed yn dal i ferwi fatha teciall. 'Be 'di dy hanas di 'ta? Reit sydyn!'

'Gyda'ch cennad, syr,' meddwn i, 'mae Talcan Creigia'n cofio atoch chi ac mae o wedi cytuno i adfar y cyflenwad trydan.'

'Reit! Mi ga'i dy dynnu di'n bedwar aelod a phen am hyn! Wyt ti'n fwy gwallgo na'r ddau arall hefo'i gilydd! Cofio ataf fi wir! Adfar y cyflenwad wir! O'r trychfil anghynnas, tyd yma!'

'Ond mae o'n wir, syr, ylwch ichi gael gweld,' meddwn i'n rhedag at y botwm gola agosa a'i wasgu o.

'Warchodwyr! Daliwch o!' gwaeddodd ynta achos ddigwyddodd yna ddim byd pan wasgis i'r botwm gola.

'Bylb 'di mynd,' meddai Pererin Byd, 'neu'r ffiws ella.'

'Ac mi ddeudodd o rwbath arall hefyd,' meddwn i cyn i Llaw Lyfwr Gawr fedru fy nhynnu fi'n griau. 'Deud fod y gwifra'n darogan rhyfal wnaeth o.'

Amneidiodd Llwch Dan Draed arno fo i'm gollwng i. 'Pam na fasat ti'n deud?' medda fo. 'Warchodwyr, cerwch i chwilio am fylbiau newydd i'r storfa, a gofyn i Wreichion Sana ddŵad i drwsio'r ffiws.'

Gosodwyd y bylbiau newydd. Trwsiwyd y ffiws. Gwasgwyd y botwm a llifodd ton o ola o un pen i'r neuadd i'r llall fel cylch carrag mewn pwll. Gwasgu botwm Sgrin y Gwifrau ddaru Llwch Dan Draed wedyn a honno'n suo ac yn fflachio'n wyrdd.

'Mi gewch fynd,' meddai Llwch Dan Draed heb edrych i fyny o'r Sgrin Werdd. 'Y gair ydi i'r tri ohonoch eich cyflwyno eich hunain yn yr Isfyd heno nesa . . . A chofiwch fod arnoch chi imi am fy sarhau ac mi dwi'u hisio nhw hefyd!'

Ar y ffordd allan o'r neuadd pwy welson ni ond Wennol Helyg yn dŵad â dŵr ffynnon i Llwch Dan Draed.

'Helô, Wennol Helyg,' meddwn i'n cochi ac yn sbio lawr.

Camu'n larts heibio inni ddaru hi fel taswn i ddim yno.

'Oeddach di'n ei nabod hi?' gofynnodd Pererin Byd.

'Nag o'n sti.'

'Ngggnggg wwwww ngg,' meddai Tincar Saffrwm ond ddaru ni mo'i ddallt o a hwnnw hefo llond ei geg o gadach pocad.

Yn y stryd roedd y fflagiau eisoes wedi cael eu tynnu a rhywun wedi sgubo'r papur sidan lliwiau. Roedd Adar y Fflamau wedi mynd i glwydo ers meitin ac awel y cyfnos yn troi yn llwch y cwterydd. Doedd yna fawr neb hyd lle a'r rheini oedd yna'n cadw eu pennau i lawr ac yn prysuro o gwmpas eu pethau.

Cerddad yn siarp am y cyrion wnaethon ni ac wrth droi cornal dyma ni i mewn i wreigan bach gefngrwm yn llusgo sach o'i hôl. 'Esgusodwch fi, pwy ffor mae'r Isfyd?' meddwn inna wedi cymryd cam yn ôl.

Chododd hitha mo'i phen ond bustachu heibio inni heb yngan gair.

'Ngggannngw,' meddai Tincar Saffrwm a phwyntio hefo'i benelin tua'r bryniau.

'Ffordd hyn,' meddai Pererin Byd yn croesi stryd.

'Yr ynfyd yn arwain y dall,' meddwn inna'n eu dilyn nhw allan o'r pentra i fyd glas a gwyn noson ola leuad ar y mynydd.

Wedi treulio oriau'n baglu drwy'r anialwch mi ddaethom chwap gerbron dôr fawr dderw a phennau hoelion fel cyrints duon drosti a ffrâm fawr drom amdani a'r cwbwl yng ngodra talcan clogwyn gwnithfaen gwyn yn chwincian yng ngola'r lleuad.

'Fan hyn mae o'n byw siŵr gen i,' meddai Pererin Byd yn sychu'r chwys oddi ar ei dalcan a'r pridd sych yn crensian dan ei draed.

‘Pwy, felly?’ meddwn inna.

‘Wel Ceidwad yr Atab siŵr,’ medda fynta’n cnocio.

Ddoth neb i drws a be wnaeth o wedyn ond cydio’n y gliciad a thynnu’r drws yn gwichian ar getynnau rhydlyd tuag ato fo a rhoid ei ben i mewn.

‘Aw! Fy mhen i!’

‘Ffŵl gwirion,’ meddwn inna’n cnocio ’migwrn yn erbyn gwynab gwnithfaen gwyn y graig noeth oedd yn llenwi bwlch y ddôr.

Ond myn dian i, wedi inni ddringo i ben y bryncyn be welson ni ond twll du yn y copa a grisiau cerrig yn dirwyn i lawr i fol y mynydd.

‘Fi oedd yn iawn,’ meddai Pererin Byd. ‘Lawr fan’na mae o’n byw ichdi! Yn yr Isfyd!’

‘Ngwwaa Ngwaa,’ meddai Tincar Saffrwm a ninna’n ei lusgo fo gerfydd dwy raff ar ein holau ni a fynta’n strancio fel mul.

‘Waeth inni sbio ddim,’ meddwn inna ac i lawr â ni.

Dyn cynnil ydi Ceidwad yr Atab meddwn i wrthyf fy hun, neu bod o heb sylwi fod y cyflenwad yn ei ôl. Fasa bol buwch yn ola chadal y twll yma, myn uffar i.

Wedi cyrradd mil dau gant a rwbath a finna’n cyfri’r grisiau wele Pererin Byd yn drysu’r cyfri’n gofyn be oedd rhif ffôn Ceidwad yr Atab.

‘Be ddiawl wn i,’ meddwn inna’n flin. ‘I be wyt ti’n gofyn peth mor hurt ac yn gneud imi golli ’nghyfri’r pembwl ichdi.’

‘Meddwl ffonio fo i holi ydio’n tŷ oeddwn i.’

‘O mam bach!’ meddwn inna, ‘Ac oes gin ti ffôn symudol yn y sach yna hefyd, oes?’

‘Nagoes, Gwern, fan’ma, mae ’na ffôn yn y wal ’ma. Fedra’i chlwad hi dan fy llaw i. Sbia.’

'Sbia o ddiawl,' meddwn inna'n ymbalfalu tuag at ei lais o ac yn anwesu'r wal hefo cledar fy llaw i chwilio be oedd gynno fo.

Ffôn oedd hi hefyd a finna'n codi'r teclyn a llais yn fy nghlust i'n syth yn deud 'Isfyd Tir Bach dim dim dim'.

'Ydi Ceidwad yr Atab yn tŷ?' meddwn i.

'Pwy sy 'na?' meddai'r llais.

'Ni.'

'Pwy ydach chi?'

'Gwern Esgus, Pererin Byd a Tincar Saffrwm Orffwyll.'

'Dewch i mewn.'

'Mewn i lle?'

'Rhowch y ffôn lawr a troi i'r twnnal agorith ar y dde fel dach chi'n mynd lawr.'

'Fedrwch chi gynna'r gola i ni?' Ond roedd y llais wedi mynd a dim byd ar ôl ond tôn y ffôn.

Drwy'r twnnal aethon ni a hwnnw run mor dywyll â'r grisiau ond dyma'r waliau'n mynd oddi wrthan ni a sŵn ein traed ni'n dechra nofio i wagle o'n cwmpas ni a'r munud nesa toedd yna ddim byd ond y llawr o dan ein traed ar ôl a ninna'n troi i bob cyfeiriad ac yn methu canfod run wal na mur na pharad yn nunlla a Tincar Saffrwm yn gweiddi 'Nggwaaa Ngggwwaa' dros bob man a ninna'n gwitsiad am yn hir i gael clwad adlais ei lais o'n dŵad yn ei ôl atom ond chlywson ni ddim byd fel carrag yn disgyn i gwmwl.

'Croeso,' meddai'r llais yn ddistaw bach wrth ein hymyl ni.

'Dyna ydach chi'n ei alw fo,' meddai Pererin Byd a dagrau lond ei lais wedi dychryn am ei fywyd yn y twllwch.

'Chi ydi Ceidwad yr Atab?' gofynnis inna a fynta'n chwerthin yn braf.

'Triw fel Nos ydw i, gyfeillion. Ei was o ydw i. Fi orchmynnodd Llwch Dan Draed i'ch danfon chi yma och tri.'

'Sut fedrith gwas orchymyn dim byd i dywysog?' meddai Pererin Byd wedi dŵad ato fo'i hun chydig bach ond chymerodd Triw fel Nos ddim sylw ohono fo.

'Mae gen i waith ichi,' medda fo.

'Ngwaaa Ngwaaa Nggng,' meddai Tincar Saffrwm o'r twllwch.

'Be ddeudodd o?' meddai Triw fel Nos.

'Wedi hurtio mae o wyddoch chi,' meddwn inna, 'Tydiom yn gall.'

'Gadwch iddo fo siarad!'

Mae'n rhaid fod Pererin Byd wedi tynnu'r rhwymau oddi am ei ben o achos y munud nesa dyma lais Tincar Saffrwm yn dechra fel llifddorau'n agor: '. . . yn deud ei hen glwyddau wrtha'i ac yn disgwyl imi goelio besymatar arnoch chi meddwn inna ydach chi'n meddwl na hurt ydwi'r sguthan rhowch y gola 'mlaen yn y llofft 'ma newch chi'r slebog imi gael gweld ych gwynab hyll chi imi gael rhoi peltan ichi meddwn inna a be nath hi ond tanio matsian a rhoi'r gwely ar dân a finna yno fo wedi 'nghlymu fawd a throed a'r fflamau'n duo'r nenfwd ac yn llyfu gwadnau 'nhraed i a hitha'n lluchio'r ffenast led ei phen ac yn chwerthin i'r nos "chwerthin newch chi ia?" meddwn inna, "ia," medda hitha, "eitha gwaith â chi," medda hitha a finna'n ffrio fel brithyll mewn menyn "sgin ti ddigon o ola rŵan y cranc anghynnas," medda hi a dwi'n deuthoch chi rŵan fod . . .'

'Cau hi, Tincar Saffrwm,' meddwn i a bonclust glec iddo fo drwy'r twllwch ar ochor ei ben.

'Aw y basdad,' gwaeddodd Pererin Byd wedi dal yr ergyd ar ei drwyn.

'Rŵan, rŵan,' meddai Triw fel Nos, 'dim o hynna'n fan'ma! A callia ditha, Tincar Saffrwm, neu mi fydd hi'n ddu arnach di.'

'Du medda fo,' meddai Tincar Saffrwm. 'Du wyt ti'n ddeud y diawl clwyddog ychdi sy 'di dwyn y gola tyd â fo'n ôl imi neu mi dy wasga'i di'n llwch dan draed wyt ti'n clwad y sbrych uffar lle'r wyt ti 'di'i guddio fo mi hannar dy ladda'i di'r bwbach a pwy 'di'r holl bobol erill 'ma ewch i'r diawl y blydi cwbwl lot ohonoch chi doswch cyn imi'ch colbio chi gyd.'

'Taw rŵan neu'r cadach ceg gei di eto,' meddwn inna a Tincar Saffrwm yn cau'i geg.

'Pan gyll y call,' meddai Triw fel Nos dan ochneidio.

'Fuodd hwn rioed yn gall,' meddai Pererin Byd.

'Bedi'r gwaith 'ma sgynnoch chi inni?' meddwn inna. 'Ydio'n talu?'

'Talu?' Roedd sgytwad yn llais Triw fel Nos. 'Ydi'r anrhydadd o gael sefyll yn y bwlch dros dy bobol ddim yn ddigon o dâl ichdi, Gwern Esgus?'

'Nacdi wir. Be uffar wnaethon nhw erioed am ddim i mi?'

'Mi fydd yn rhaid inni dy drosglwyddo di felly i'r Cyrff heb Enaid sy'n chwilio amdanach di. Mi gei groeso gan Befehlnotstand a'i Gyrff heb Enaid a hyd yn oed gan Rawsman ei hun dwi'n amau dim.'

'Bedachi isio imi neud, syr?' meddwn inna.

'Fedrwch chi roi'r gola ymlaen yma, os gwelwch yn dda?' meddai Pererin Byd yn pledio'n daer.

'Does yma ddim gola ac anamal bydda'i felly yn gweld yn dda i neud dim byd. Clwad yr hyn sydd ar glonnau pobol fydda'i a dwi'n cael hynny'n llawn cystal â gola i nabod pobol.'

'Choelia'i fawr,' meddwn i. 'Be sy 'nghalon y Pererin Byd gwirion yma felly os ydach chi mor glyfar?'

'Afon yn llifo i fyny'r allt sy 'nghalon hwn,' meddai Triw fel Nos.

'Bedach chi'n feddwl?' meddai Pererin Byd. 'Be am Tincar Saffrwm, oes gin hwn galon?'

'O oes. Afon wyllt yn llifo i ogof ddofn sydd yng nghalon hwnnw,' meddai Triw fel Nos.

'Peidiwch â malu awyr,' meddwn inna'n esgus chwerthin. 'Be sydd yn fy nghalon i 'ta? Deudwch hynny?'

'Afon yn llifo rhwng dolydd dyffryn a choed yn gwyro drosti sydd yn dy galon di, Gwern, a murddun wedi mynd â'i ben iddo ar ei glan hi a bysadd drain yn dŵad o'r ffenestri.'

'Sgynna'i'm mynadd gwrando ar y lol botas yma,' meddwn i'n swta. 'Deudwch be dach chi isio hefo ni neu gadewch inni fynd o'ma!'

'Gan bwyll bach, Gwern,' meddai'r llais yn bwyllog. 'Mi dach chi wedi gneud yn dda hyd yma, paid â chwthu dy blwc rŵan . . . Wel i chi, bid a fo am hynny, fel y gwyddoch erbyn hyn, mae Rawsman wedi gorchymyn Befehlnotstand i grynhoi'r Cyrff heb Enaid ar hyd ffiniau Gwlad Alltud a'r sôn ydi y bydd cyrch arall ar diroedd y gynghrair cyn pen dim o dro.'

'Mi glywson ni ryw sôn,' meddwn i.

'Dyna chdi. Rŵan, a chitha wedi ennill yn ôl deyrngarwch Talcan Creigia i Tir Bach . . .'

'Maddeuwch i mi,' meddwn inna ar draws y llais, 'Cwbwl wnaeth o oedd cytuno i adfar y cyflenwad oedd o wedi'i ddwyn . . .'

'Yn hollol. Dipyn o ddafad ddu ydi Talcan Creigia wedi bod erioed ond mae o'n ei ôl hefo'r praidd bellach, diolch i chi. Dwi'n siŵr fod gwynab Llwch Dan Draed yn werth ei weld a chitha'n deud wrtho fo fod Talcan Creigia'n cofio ato fo.'

'Wedi gwylltio oedd o'n meddwl fod Gwern yn deud clwyddau,' meddai Pererin Byd.

'A tydw i ddim nad ydwi wedi sylwi ar y cymod wnaethoch chi hefo'r Corachod Duon. Nid peth hawdd ydi tynnu llaw dros ben y rheini. Gwrandwch, mi dwi wedi cynghori Ceidwad yr Atab i'ch derbyn chi'n llateion rhyfal i gludo'r neges ymarfogi i diroedd eraill y gynghrair! Ydach chi'n ddigon tebol?'

'Mi dria'i,' meddwn inna. 'Ond dwn i ddim fedra'i lwyddo hefo help y ddau glown yma, cofiwch.'

'Yr hogyn isio mynd ei hun, isio mynd ei hun mae'r hogyn, ei hun mae o isio mynd, gadwch iddo fo fynd ei hun, iddo fo fynd ei hun, ia'n tad ia'n tad ia'n tad . . .'

'Bydd ddistaw, Tincar Saffrwm,' meddai'r llais yn awdurdodol. 'Rhaid i chi gyd fynd.'

'A finna, syr?' meddai Pererin Byd a finna'n deud 'Ust rŵan' wrtho fo am siarad yn wirion.

'Rho dy law allan, Gwern,' meddai'r llais a finna'n clwad y graig laith o dan fy mysadd i.

'Mae'r adwy i'r grisiau o dy flaen di,' meddai'r llais wedyn. 'Peidiwch â deud wrth neb am ych negas, a pheidiwch danfon dim dros y gwifrau. Well ichdi adael dy deithlyfr trydan yma, Gwern, rhag ofn . . . Ac mi gewch bopeth at y siwrna gan Llwch Dan Draed. Mi'ch disgwyliaf chi'n ôl yma ymhen y rhawg. Pawb yn dallt? Gwern?'

'Dallt i'r dim, syr.'

'Tincar Saffrwm?'

'Ia, mae'n siŵr na hwnnw ydio, be wnaeth o'r tro 'ma?'

'Pererin Byd?'

'Ga i'r cwestiwn eto, syr, imi gael bod yn siŵr o'r atab?'

Pan ddaethon ni i ben y grisiau roedd yr haul yn uchal yn yr awyr a ninna'n gorfod edrych drwy'n bysadd. Ond fuon ni fawr o dro wedyn yn cyrradd Pentra Newydd ac ar ein pennau i dŷ Bol Fflamia â ni a galw am fwyd a diod lond ein boliau a gwely wedyn i gysgu'r dydd a chysgu'r nos.

Tystiolaeth Pedwar "" yn dilyn . . .

Dei Dwyn Wya ddaru'n deffro ni'r noson honno a fynta wedi dŵad o le pell i chwilio amdanon ni.

'Meddwl fasach di'n licio clwad rhain,' medda fo'n lluchio pedwar tâp codi sgwrs ar y gwely ac yn llacio'r llurig orffwys oddi am ei sgwyddau.

'Ydi "Cyfaddawd y Seindorf" gin ti?' meddai Pererin Byd o'r gwely arall. 'Glywist ti honno, Gwern? Un dda ydi hi.'

'O bydd ddistaw, Pererin Byd,' meddai Dwyn Wya. 'Brysiwch, codwch, well ichi ddŵad i'r siambar wrando. A gadwch Tincar Saffrwm yn lle mae o, lle bynnag mae o. Hei, Gwern, mi wyt titha ar y tapiau 'ma sti, a Fischermädchen. Argol, ges i waith i gael fy mhump arnyn nhw . . .'

'Be tasa'r Rhai Sy'n Gwrando'n gwybod?'

'Tydyn nhw'n ama dim, achan. Lwc mul, neith o'r tro. Dowch o'na newch chi!'

Wedi cael cardyn adwy âi â fo i rwla'n Llawr Gwlad oedd o, gan Triw fel Nos ei hun medda fo. Wedi treiddio i berfeddion tanddaearol celloedd y Rhai Sy'n Gwrando ac wedi codi'r pedwar tâp a'u copïo nhw heb i neb ei weld o nac ama dim arno fo. Oeddan ninna i fod i goelio, mae'n siŵr, ond fydd Dei Dwyn Wya byth yn deud y gwir yn blaen, am wn i na fedrith o ddim, ac wedyn yn rhinwadd ei swydd fel sbïwr tydi hynny ddim yn ddrwg o beth decini. Ama pawb ac yn meddwl fod pawb yn ei ama fynta. Ond mae'n rhaid ei fod o'n meddwl ein bod ni o leia'n dryst. Un o Llawr Gwlad ydi ynta yndê, ne dyna'r sôn erioed.

Gan fod Bol Fflamia'n brysur yn ei wely hefo rhwbath o'r Cantra Pella, fuodd raid inni fenthyg potal o wirod y gwifrau o'i storfa heb ddeud dim byd a mynd â hi hefo ni i'r siambar wrando. Oedd dda inni 'i chael hi hefyd achos fedsan ni ddim fod wedi cadw'n llgadau'n gorad hebddi a hitha'n bump y bora a'r siambar wrando'n gynnas a'r seddi'n ddyfnion ac yn glyd.

'Slasia dâp i'r blwch 'ta,' meddai Dei Dwyn Wya'n lluchio tâp at Pererin Byd. Finna'n ista'n ôl ac yn codi 'nghoesau dros gefn y sedd o 'mlaen a'r siambar yn llenwi fel ogof hefo sŵn clecio a suo'r gwifrau a llais cyfarwydd Fischermädchen o'n cwmpas ni'n bob man.

' . . . Ble wyt ti wedi bod, Gwern? Rydw i wedi bod yn disgwyl ti'n galw.'

'Do, mi wn i. Mi fydda'i draw 'cw peth cynta bora fory 'lwch. Oes nelo hyn rwbath â'r gwaith ar y rhwydwaith wnes i iddyn nhw? Gwrandwch, mi ddeudis nad o'n i'm yn siŵr hefo'r meddalwedd newydd yn do? Ydyn nhw'n filan wrtha'i?'

'Bore fory wyth o gloch. Paid â poeni dim byd, Gwern. Bob dim yn iawn.'

'Wyddwn i ddim dy fod ti wedi bod ar y radio,' meddai Pererin Byd ond rhoes Dei Dwyn Wya fys ar wefus i gau'i geg o.

Clecian a suo'r gwifrau eto wedyn a'i llais hi'n oer ac yn bwrpasol o'n cwmpas ni eto. 'Bettnachzieher!'

'Mae o'n cysgu'n gwely, Foneddiges Fischermädchen.'

'Wel codwch o!'

'Tydan ni ddim yn saff yng ngwely pwy mae o'n cysgu heno, Foneddiges Fischermädchen.'

'Rhowch fi drwodd i'r Cadfridog Befehlnotstand 'ta.'

'Oes gynnoch chi adwy i'w gyfarch, Foneddiges Fischermädchen?'

'Deuddeg dau ar hugain chwech a thrigain. Rŵan rho fi drwodd ato fo'r sguthan bach gomon cyn imi wylltio go iawn.'

'Yn union deg, Foneddiges Fischermädchen.'

Daeth rhyw gerddoriaeth ryfadd dros y gwifrau ac wedyn llais dyn a sŵn dŵr yn troi hen gerrig yn ei lais. 'Fischermädchen. Rwy'n cymryd fod hyn yn bwysig.'

'Gadfridog Befehlnotstand, ddrwg gen i darfu arnoch. Roedd Bettnachzieher allan, roedd yn rhaid imi ddod drwodd atoch chi. Gadfridog Befehlnotstand, mae'r sliwan wedi llyncu'r abwyd. Mi fyddaf wedi ei glanio bore fory wyth o'r gloch. Cewch anfon y Cyrff heb Enaid.'

'Hmmm. Wel fel mae'n digwydd yma mewn cyfarfod yn trafod tactegau mae Bettnachzieher. Felly bydd y cwbwl yn barod at y bore. Fe'ch crybwyllaf chi yn f'adroddiad, Fischermädchen.'

'Diolch, Gadfrid . . .'

Daeth clic dros y gwifrau. 'Sglyfath,' meddai Fischermädchen a'r lein yn cau.

'Sgynnoch chi ddim tapiau hefo lluniau?' holodd Pererin Byd wedyn. 'Mae'r rhain yn ddiflas.'

'Wyt ti isio jam arni?' meddai Dei Dwyn Wya. 'Dos o'ma os ti am gwyno. Rho'r ail dâp i mewn nei di,' yn lle agor dy geg yn fan'na fatha cath fôr.'

'Bedi cath fôr?'

'Jest gwna fo!'

Dyma 'na glecio trydanol drwy'r blychau sain eto a sŵn anadlu trwm yn dŵad allan. 'Gadfridog Befehlnotstand, Gadfridog Befehlnotstand, diolch byth ichi ddod at y ffôn.'

'Fischermädchen, bore da. Dywedwch wrth un o'r Cyrff heb Enaid am ddyfod â'r llipryn bach at y ffôn a brifwch o'n egar imi gael ei glywed o'n gwingo. Mi dwi wedi edrych ymlaen at hyn.'

'Gadfridog Befehlnotstand, ddaeth o ddim. Mae'r Cyrff heb Enaid wedi bod draw acw yn ei breswyl ac mae'r cyw wedi gadael y nyth.'

'Fischermädchen, rwy'n siomedig. Dwn i ddim beth ddyfyd Rawsman. Hoffwn i ddim fod yn eich croen chi yr awron. Dwi eisiau cynnwys ffeil wybodaeth bersonol ei sgrin wifrau wedi ei drosglwyddo lawr y wifren goch a dwi eisiau hynny rŵan. Mi fydd ei lun a'i fanylion ar bob sgrin o Ddinas Entwürdigung i'r Baratîr. Eith y llwynog bach ddim yn bell.'

'Gadfridog Befehlnotstand, mae'r llwynog bach wedi sychu'r ddisg galed. Y cwbwl a erys ydi neges ffiaidd yn awgrymu y dylwn fynd i gyflawni gweithred anllad gyda "fy mhysgod", syr.'

'Rydach chi'n colli'ch gafael, Fischermädchen. Rydach chi wedi chwythu'ch plwc y tro hwn. Rwy'n credu eich bod yn dechrau colli'r ffydd mae pobol Llawr Gwlad wedi ei dangos ynoch. Rhywbeth yn eich llais chi ydi o? Beth ydio amdanoch? Mi gawsoch wersi. Gwastraff amser. Rwy'n eich dal chi'n bersonol gyfrifol am hyn. Mae gennych dridiau i ganfod cuddfan y trychfil a'i wasgu dan eich sawdl neu mi fydd yma anawsterau ichi. Ydach chi'n deall, Fischermädchen?'

'Ydwyf, Gadfridog Befehlnotstand. Hoffwn yn gyntaf egl . . .'

Daeth y glic gynefin a thôn y ffôn wedyn yn gefndir i regi pwyllog, araf Fischermädchen mewn Alltudeg mor safonol ac aruchel fel na allwn i mo'i dallt hi'n iawn.

'Roist ti honna yn y cawl go iawn yn do,' meddai Dei Dwyn Wyau. 'Eitha gwaith i'r beunas oriog hefyd. Mi fuest ti'n sgut yn sbydu'r ddisg yna, Gwern.'

'Oedd yr adwy gin i,' meddwn inna, 'dim ond y goriad iawn wyt ti isio i agor unrhyw ddrws. Sut mae hi yn Llawr Gwlad rŵan? Oes yna sôn am ryfal yno?'

'Wyt ti'n gall, achan? Gafodd trafod y rhyfal ei wahardd dan reol saith dau saith Cyngor Llawr Gwlad ei hun. Tydyn nhw ddim isio digio Gwlad Alltud mae'n debyg, yn nacdyn. Ac mae'r papur sychu llun Befehlnotstand wedi cael ei alw'n ôl hefyd. Mae'n edrych yn debyg na fydd hi ddim yn hir eto cyn dechreuith hi gnesu acw. Tydi lluoedd Befehlnotstand yn hel am y ffiniau a'r Cyrff heb Enaid yn cynnal 'ymarferion' ar y gororau? Ac mi glywis sôn fod Rawsman ei hun wedi annerch torf o'i gaeth-weision dro'n ôl ddiwrnod dathlu ambythlwyddiant rhyddid Gwlad Alltud. O, dwi'n ei weld o'n dŵad o bell, washi.'

'Ond mae Llawr Gwlad yn rhydd, i fod, rŵan,' meddai Pererin Byd. 'Tydyn nhw ddim yn goro cwffio.'

'O ia, Pererin Byd, wrth gwrs. Llawr Gwlad yn rhydd. Anghofis i. Rhydd i ddilyn yn ôl troed Gwlad Alltud a gneud pob dim mae hi'n ei wneud ar ei hôl. Yn rhydd i gytuno, dyna wyt ti'n feddwl? Rhydd i gytuno ond ddim i anghyd-weld. Wyt ti'n llygad dy le eto, Pererin Byd, wrth gwrs tydyn nhw ddim yn goro cwffio. Mi gân nhw roid eu dwylo yn yr awyr run fath â'r tro blaen a gadael i Befehlnotstand eu sefyll yn erbyn cornal wal. Diawl, dim ond y tir sydd ar Rawsman isio, tydi'r bobol yn da i ddim iddo fo, mi fuodd hynny'n papur.'

'Ddaw 'na ddim rhyfal,' meddai Pererin Byd yn bwdlyd.

'Mi gaet dy saethu am ddeud hynna yn Gwlad Alltud,' meddai Dwyn Wya, 'ond wedyn mi fasat ti wedi dy hen saethu yna erbyn hyn beth bynnag. Rho'r trydydd tâp yn y blwch nei di yn lle hefru fel gafr ar dranau.'

'Clic,' meddai'r tâp a Fischermädchen yn siarad iaith ni a'i hacan hi'n gwichian fel drws 'di chwyddo. 'Wel sut wyt ti erstalwm, Siffrwd Helyg?'

'Chi sy 'na Fischermädchen, mynd i'ch ffonio chi oeddwn i.'

'Oeddat ti? Wel wnest ti ddim yn naddo. Hogan anwadal wyt ti. Fyddet ti'n fy mradychu i?'

'Iesgob nafswn, Fischermädchen, byth. Ydi'r adroddiad heb blesio? Be sy'n bod?'

'Y ti sy'n bod, Siffrwd Helyg, y chdi. Dwn i ddim wir fedra'i ddibynnu arnat ti ddim mwy.'

'Medrwch, mi fedrwch, chwaraewn i byth mo'r ffon ddwybig hefo chi, mi wyddoch hynny . . .'

'Profa fo. Dwisio hanes Gwern Esgus. Rwyt ti'n ei nabod o yn dwyt?'

'O ran ei weld. Digon i ddeud helô.'

'Digon i ddweud "Jest gad lonydd imi, Gwern, nei di . . . Jest dos"?'

'Sut gwyddoch chi am hynna?'

'Tydi bod yn dwp ddim yn gymhwyster yn fy swydd i, Siffrwd Helyg, ond gwybod hyd a lled dy glwyddau di, rŵan mae honno yn gymhwyster bwysig, fasat ti ddim yn cytuno?'

'Bedachisio gin i?'

'Hanes Gwern Esgus.'

'Mi gwyddoch hi'n barod.'

'Efallai.'

'Be dwi'n da ichi 'ta felly?'

'Ti yw llygad fy ffynnon i, Siffrwd Helyg. Rŵan agor y big yna a dechrau canu.'

'Wel tydwi'm yn nabod yr hogyn felly, ran nabod wyddoch chi. Taswn i wedi nabod mwy arno fo fasa fo ddim wedi cael dwyn fy nghalon i. Mi ddoth i mewn heb imi sylwi a'i chipio hi cyn imi'i gweld hi'n mynd. A sathru arni hi wnaeth o.'

'Wnaeth o hynny, Siffrwd?'

'Mae o'n caru Anwes Bach y Galon yn fwy na fi. Mae o'n caru honno'r bitsh bach iddi erstalwm cyn iddo fo rioed esgus fy ngharu i. A charodd o rioed mona'i chwaith, ddim hyd yn oed yn gwely. Gwrthod fy mreichiau i. "Dwi'm isio dy frifo di," medda fo. "Dwi'm isio dy frifo di" a phob gair yn brathu fel sawdl yn troi y tu mewn imi. Toeddwn i ddim yn ei nabod o o gwbwl.'

'Wyt ti'n nabod o rŵan?'

'Hwyrach . . . Be wn i am nabod. Ddim Waldo ydi'n enw i.'

'Mi fydde'n rhyfedd petai o.'

‘Ia, Fischermädchen. Ond wn i ddim byd mwy am ei hanas o, wir yr.’

‘Pam wyt ti am fy herio fi, Siffrwd? Y fi ydi dy ffrind di. Pwy ond y fi sydd wedi sefyll yn gefn iti? Mi gei di ddweud pob dim wrth Fischermädchen.’

‘Dwi’n gwybod. Ond Wil Chwil ddaru dorri fy mwclis i, a rhoid y clais yma imi wedyn hefyd. Fasa Gwern ddim yn gneud peth felly. Gwynllyd oedd Wil Chwil o ’ngweld i’n siarad hefo Gwern ar sgwâr dre. Un gwyllt ydi Wil Chwil, tan nes bydd o wedi cael gormod, neu pan fydd o’n sobor.’

‘Dydw i ddim angen hanes ryw Wil Chwil gen ti. Paid â dechrau troi’r stori. Be ddeudodd Gwern Esgus wrthyt ti ar sgwâr dre ddaru gorddi Wil Chwil?’

‘Deud oedd o ei fod o wedi gneud peth ofnadwy yn Gwlad Alltud a’i fod o wedi gneud llanast hefo rhyw feddalwedd neu rwbath, dwi’m yn dallt hannar y pethau ’ma. Camgymeriad medda fo ond fod y Cyrff heb Enaid yn siŵr o gael eu hanfon amdano fo a’i fod o ddim am aros hyd lle’n gwitsiad amdanyn nhw. Doedd o ddim fel tasa ’na frys odano fo, cofiwch. “Tydyn nhw ddim eto’n gwybod na fi oedd y drwg yn y caws,” medda fo fel’na. “Dwi’m ofn y Cyrff heb Enaid.” “Pam ti’n crynu ’ta?” meddwn inna. “Dy glwad di’n agos,” medda fo’n ffalsio. “Tyd o fan’na, Siffrwd,” meddai Wil Chwil wedyn yn croesi aton ni o’r Gwenith Gwyn wedi ’ngweld i’n siarad hefo Gwern. “Tyd odd wrth y bradwr bach yna,” medda fo’n trio cydiad yn fy mraich i. “Pwy ti’n alw’n fradwr y cwd chwil?” meddai Gwern a Wil Chwil yn cipio fy mwclis i ac yn fy nhynnu i o’na ac yn fy llusgo fi i’r twll dan ffordd a’r mwclis yn malu a fynta’n cydiad yn fy ngwallt i ac yn fy llusgo i allan yr ochor draw ac yn rhoid celpan imi a finna'n rhedag oddi wrtho fo i dŷ'n chwaer ac es i ddim i godi'r gleiniau tan nes oeddwn i'n gwybod y bydda Wil Chwil allan o'i ben tu allan i Gorad Drw Nos ac yn da i ddim i neb dim mwy. Dyna lle gwelis i Gwern ddwytha.'

'Yn y Twll Dan Ffordd?'

'Ia.'

'Ia. Wn i hynna. Da'r hogan yn dweud y gwir am unwaith. Lle'r aeth o wedyn?'

'Be wn i. Adra am wn i. Neu at Anwes Bach y Galon. Gofynnwch iddi hi. Peidiwch â gofyn i mi.'

'Mae o'n o agos at honno tydi?'

'Yndi mwn. Rhy agos i'w les ei hun. Faswn i wedi bod yn well iddo fo. Ac mae pawb yn gwybod ei bod hitha dros ei phen a'i chlustiau hefo fo a hitha'r ffŵl bach iddi'n 'cau madda iddo fo. Bedi chydig o hel merchad? Mae o yn ei natur o tydi. Tydi hi ddim yn dallt hynny. Isio rhwbath i gyd neu ddim isio fo o gwbwl, dyna ichi Anwes Bach y Galon. Pwy uffar mae hi'n feddwl ydi hi'n cerddad yn larts hyd sgwâr dre a phawb yn gwybod na fo 'di'r tad.'

'Gwern? Y fo ydi tad Calonnog felly?'

'Wel pwy arall. Mi wyddech yn barod. Pawb yn gwybod siŵr Dduw.'

'Gwyddwn, gwyddwn, wrth gwrs. Mae wedi bod yn ddiddorol sgwrsio gyda thi. Ai dyna yw hi o'r gloch? Wel, da boch rŵan, Siffrwd. A cofia, ffonia di fi cyn imi dy ffonio di y tro nesaf.'

Mae'n rhaid fod Fischermädchen wedi gosod y teclyn yn ofalus yn ei grud achos dim ond y smic lleia glywon ni a'r lein yn cau.

'Dipyn o bry,' meddai Dwyn Wya'n crechwenu arna'i.

'A wneler liw nos a welir liw dydd. Oeddach di'n gwybod, Pererin Byd?'

'Tydio'm byd i mi,' meddai Pererin Byd.

'Ia, felly cau dy ben, Dwyn Wya,' meddwn inna. 'Fasa'n rheitiach i chdi sbio adra. Pawb yn gweld lle fyddi di wedi bod ac ysgolion meithrin y cwmwd yn llenwi hefo dy epil di.'

'Doedd dim angan hynna,' meddai Dei Dwyn Wya'n estyn ei dursiau'n bwdlyd.

'A heuo ddrain na cherddo'n droednoeth,' meddai Pererin Byd yn athronyddol.

'Gan y gwirion y ceir y gwir,' meddwn inna. 'Rho'r tâp ola 'na yng ngweflau'r peiriant, Pererin Byd, a gad y doethinebu i'r rheini sy'n meddwl eu bod nhw'n ddoeth.'

Sŵn crafu mawr oedd ar ddechra'r tâp ola ond mi gliriodd a gwich peiriant atab yn dŵad drwy'r gwifrau a finna'n cael sgytwad yn clwad 'yn llais i o gyfnod arall fel parot yn prepian. 'Gwern sy 'ma. Diolch am ffonio. Toes yma neb yn tŷ ar hyn o bryd ond gad negas ar ôl y wich ne tria eto.'

'Pererin Byd yma dros Asgwrn Ffriddoedd yn estyn gwŷs i Gwern Esgus i Haf heb Haul,' meddai llais Pererin Byd yn fy mheiriant i a fynta wrth ei fodd yn clwad ei lais ei hun yn swnio'n swyddogol.

'Fi oedd hwnna,' gwaeddodd Pererin Byd yn gwasgu'r botwm aros. 'Ga'i glwad o eto? Wyt ti'n cofio hynna, Gwern?'

'Nacdw a nachei, chei di mo'i glwad o eto,' meddwn inna. 'Diolch na wrandawis i ddim neu faswn i heb ddŵad ffordd hyn mae'n siŵr.'

'Mi ddeudist ti wrth Asgwrn Ffriddoedd dy fod ti 'di cael y negas.'

'Mae gin hwn go am y pethau rhyfedda,' meddwn inna. 'Iawn, oce, mi ddeudis glwyddau. Bedio i chdi? Rŵan gwasga'r botwm chwara yna a bydd ddistaw.'

Llais Fischermädchen ddaeth wedyn yn poeri'n gas i mewn i 'mheiriant atab: 'Gwern Esgus. Lle wyt ti? Deffra. Mae wedi pasio wyth. Pam wyt ti ddim wedi dod fel rwyt ti wedi dweud? Rhaid iti ddŵad rŵan ar unwaith!'

'Mae'r tâp yma i fod cyn y ddau ddwytha,' meddwn i.

'Yndi, hwyrach,' meddai Dwyn Wya. 'Ond toedd gin i'm amsar i laesu dwylo wrth gopïo. Hwn rŵan ydi'r darn ola.'

'Pwy sydd ar y darn yma, 'ta?'

'Cau dy geg ac mi gei glwad.'

'. . . ddim yma.' Dy lais di Anwes, a finna wedi clebran dros ddechra'r sgwrs.

'Ydi o wedi bod yna?' meddai llais Fischermädchen.

'Bedio i chi?'

'Gwrandwch, Anwes, rydan ni'n poeni amdano fo. Roedd o i fod yma wyth o'r gloch y bore yma. Ddaeth o ddim. Rydan ni'n poeni fod rhywbeth wedi digwydd iddo.'

'Choelia'i fawr. I be aech chi i boeni amdano fo? Pwy ydi o i chi?'

'Pwy ydi o i chi, Anwes? Os dwedwch chi'n iawn mi ddwedaf innau wrthoch chithau.'

'Y chi o Gwlad Alltud, mi dach chi i fod yn gwybod pob dim.'

'Ia, Anwes bach, o Gwlad Alltud efallai, ond yma ydwi i garu eich lles chi. Fe wyddoch hynny. Mae'n gyfnod cythryblus yn hanes Llawr Gwlad. Mae'ch rhyddid newydd chi'n fregus ac mi rydw innau yma i'w warchod ichi. Mae Gwern wedi gwneud peth annoeth yn rhoid traed moch yn sustemau taclus y wlad am y ffin. Ond mi wn i mai camgymeriad oedd o a dymuno achub ei gam o ydw i cyn iddo fo, a maddau'ch iaith front chi, gachu'i grefft go iawn hefo Befehlnotstand a'r Cyrff heb Enaid.'

'Dwi'n deud dim. Dwi'n gwybod dim. Cheith Befehlnotstand byth mo'i grafangau ynddo fo na'r Cyrff heb Enaid chwaith.'

'Paid ti â bod yn rhy siŵr, Anwes. Fasa'n gas gin i feddwl be fasan nhw'n ei wneud hefo fo a fynta heb syrthio ar ei fai. Mae yna gylch o ddur o amgylch Llawr Gwlad, all o byth ddianc, mae'r rhwyd yn cau. Wyt ti eisiau ei helpu o?'

'Ond toedd o ddim yn meddwl dim drwg, Fischermädchen, mae pawb yn gwybod 'i fod o'n benboeth ac isio dal dan Llawr Gwlad o hyd ac o hyd, ond tydio ddim yn erbyn Gwlad Alltud diomots be mae o'n baldaruo yn ei gwrw.'

'Mi helpi di o'n gwnei?'

'Dwimisio iddo fo gael drwg.'

'Rwyt ti'n ei garu o'n fawr yn dwyt, Anwes?'

'Yndw ond bod yr hogyn fel cawod o law weithiau fan yma ac weithiau fan draw.'

'Un anffyddlon ydi o.'

'Dwi'n gwybod. Mae o'n meddwl na wn i ddim am ei gastiau fo. Ond mi fydda'i'n cael ei hanas o i gyd gin Siffrwd Helyg. O leia mae honno'n driw imi.'

'Ydi o'n gwybod dy fod ti'n ei garu o?'

'Nacdi mwn. A rown i mo'r plesar iddo fo gael gwybod chwaith fod yma galon arall fatha hen benillion ar ei ôl o. Cheith o'm dŵad acw eto, mi dwi 'di deutho fo. Ond dwisio ichi'i helpu o, Fischermädchen, dwi ddim isio iddo fo gael drwg. Am Tir Bach mae o'n gneud ei dracs ddeudwn i, mae o wedi sôn na am fan'no fasa fo'n ei nelu hi tasa'i le fo'n cnesu ffordd hyn. Ydach chi'n meddwl cyrhaeddith o?'

'Siawns mul o gyrraedd. Ond os gallaf gyrraedd ato cyn Befehlnotstand a'r Cyrff heb Enaid mi allaf ei gael o i ildio'i hun i gynghorwyr Rawsman ac mi sefith hynny o'i blaid o yn yr achos.'

'Diolch am ein helpu ni, Fischermädchen. Oeddwn i ddim yn siŵr ohonoch chi, ac mae'n ddrwg gen i.'

'Anwes, ac mae hyn yn gyfrinachol, ond mae 'na sôn y daw rhyfel o achos hyn. Fydd neb yn ddiogel wedyn. Yn enwedig rhai sydd yn agos at Gwern Esgus. Dwi'n awgrymu dy fod ti a'r mab, Calonnog, yndê, yn dŵad ataf fi lle gwyddost y cewch chi loches. Be wyt ti'n feddwl?'

'Rhyfal? Rhyfal coch? Ddim o beth pitw bach fel hyn. A damwain oedd hi, chi ddeudodd hynny. Be maen nhw isio gynnon ni?'

'Mi ddowch chi felly?'

'Mi arhosa'i lle'r ydwi tan nes ca'i wybod fod Gwern yn saff.'

'Tybiais dy fod yn hogan gallach.'

'Mae Siffrwd Helyg yn aros. Wneith hi ddim symud medda hi. Ac mi fydd Calonnog a finna'n iawn yn Garrag Elin 'ma diolch yn fawr.'

'Un bengalad wyt ti. Ond cofia be ddywedais i, Anwes, mi gei di le gennyf unrhyw amser. Ond os am aros yn dy gragen yn y ceunant oer yna wyt ti, wel rhyngot ti a dy bethau. Dwi'n siŵr yr edrychith Siffrwd Helyg ar d'ôl.'

Daeth clic y lein yn cau a'r tâp yn dŵad i ben a finna'n dal i ista'n syllu o 'mlaen yn dal i glwad dy lais di'n agos agos o gwmpas fy mhen a finna'n damio Siffrwd Helyg am ei chlwyddau a Fischermädchen am ei thwyll. A dyma fi'n dechra dadebru ac yn cychwyn brifo drosta'i'n meddwl amdanach di'n fy ngharu i a finna'n dy garu ditha ond fod bywyd wedi dŵad rhyngddon ni a ninna'n methu cyrradd yn ôl at ein gilydd fel dau fagnet yn gwthio'i gilydd o'r neilltu.

'Dyna'r cwbwl,' meddai Dei Dwyn Wya'n ddidaro drwy fy hel meddyliau. A dyma fo'n agor ei geg yn ddiog ac yn deud, 'Mae'r botal yn wag a'r noson 'di mynd. Ti 'di clwad y cwbwl, Gwern. Be nei di rŵan?'

'Ei hachub hi o hafflau'r Siffrwd wenwynig yna a Fischermädchen. Dyna be wna'i, waeth gin i faint gymith hi imi.'

'Dan ni'n goro mynd gynta i wledydd y Gynghrair,' meddai Pererin Byd dros ei ysgwydd yn tynnu'r tâp o'r blwch.

'Wn i. Dwi ddim angan f'atgoffa.'

'I be?' meddai Dei Dwyn Wya.

'Mae o'n gyfrinachol,' meddwn i. 'Ond er mwyn eu dwyn nhw at yr achos cyn dêl y rhyfal coch.'

'Ia, wn i, ond pam y chi? Ydi'r Tincar Saffrwm drewllyd yna'n mynd hefo chi? Yndi mwn. Y tri diffaith myn uffar i. Gobeithio cewch chi hwyl.'

'Sdim isio bod yn wynllyd dim ond am na chei di ddim dŵad hefo ni,' meddwn inna. 'Deu, mi dan ni'n cael mynd i bob math o lefydd, bob gwlad dan haul bron. Hei, Pererin Byd, gofist ti bacio'r eli lliw haul? Do, reit dda.' A dyma finna'n dechra trio tynnu dŵr o ddannadd Dei Dwyn Wya'n deud wrtho fo am y daith arfaethedig i'r Winllan Bridd lle'r oeddan ni'n cael cwfwr y Dug Waroncet Cals, ac wedyn draw am y Winllan Fawr at Jeneral Bol a chofio mynd â danteithion yn anrhegion iddo fo, ac wedyn eto ymlaen i Hirynys a mynnu cyfweliad hefo Goneiri'n Borlat enwog a hyd yn oed wedyn ein bod ni'n cael mynd drwy'r awyr i Baratîr at yr Ymerawdwr Bara Hati a chofio'r eli a'r sbectol haul a'r ymbarél hefyd jest rhag ofn. Felly deudis i'r hanas ymlaen wrtho fo, ond doeddwn i fawr o feddwl y deuai dim da o'r peth yn enwedig a finna hefo dau lembo'n gymdeithion, a finna'n meddwl am y Tincar Saffrwm gwallgo oeddan ni wedi ei adael yn drewi'n ei wely yn ei lofft unig ac oer yng ngarat llety Bol Fflamia a'r dŵr yn diferu lawr o'r tulathau ar hyd ei locsyn a fynta'n dal i gysgu.

Dyna fo, roedd hi'n bryd iddo fo fynd, meddai Dei Dwyn Wya, a fynta ddim i fod yma yn lle cynta. Canu'n iach wnaethon ni'r bora hwnnw, Dei Dwyn Wya wedi ei wisgo fel Archwiliwr Safonau Moesol yn mynd un ffordd, a Tincar Saffrwm, Pererin Byd a finna'n mynd ffordd arall. Dim ond a ninna'n dychwelyd ymhen y rhawg wedyn y ces i gyfla i nodi'r hyn a ddigwyddodd ar y daith, achos ches i ddim mynd â 'nheithlyfr trydan hefo fi gin Triw fel Nos. Mae'n rhaid ei fod o'n ama y basan ni'n cael ein dal gin rywun, ond chawson ni ddim. A dyma finna rŵan wrth y ddesg bach dan y ffenast yn y llety yn dechra gwasgu'r hanas i fotymau'r teithlyfr trydan.

Tystiolaeth Pump """" yn dilyn . . .

Dwi'n cofio'r noson gyrhaeddon ni'n ôl. Blaen lleuad yn crogi ar y sêr a ninna'n marchogaeth y mulod allan o Pentra Newydd am fynydd y ddôr wedi treiglo'r gwledydd a'r tiroedd oll ac yn dwyn rŵan ein negas yn ôl at Triw fel Nos, gwas Ceidwad yr Atab i Isfyd Tir Bach. Fedra'r mulod weld dim, felly aeth Pererin Byd yn ôl i fenthyg fflashlamp drydan bob un inni o storfa Llwch

Dan Draed. Heblaw am hynny mi fasan wedi colli'n ffordd yn saff.

Wedi clymu'r mulod i ryw lwyni ar y copa a ninna'n disgyn y grisiau cerrig i'r Isfyd, roedd gola'r fflash-lampau'n mynd yn llai ac yn llai tan nes oedd dim ar ôl ond gola bach gwyrdd fel pryfaid tân ac wedyn hyd yn oed hwnnw'n cael ei fyta gan y twllwch.

'Croeso'n ôl,' meddai llais Triw fel Nos a ninna eto 'nghanol y gwagla du oedd o'n ei alw'n gartra. 'Bedi'ch hanas chi stalwm?'

'Byda, byda, byda,' meddai Tincar Saffrwm yn codi'i lais. 'Bydau enbyd, wannwl rhai diffath 'di'r rhain 'chi, ia neno'r tad. A hitha'n 'y mhen i byth beunydd yn tynnu'n groes ac yn blagardio dwi'n deuthachi tasa dyn ond yn cael llonydd i dynnu gwynt myn uffar i ma hi 'di mynd yn . . .'

'Dyna ddigon, Tincar Saffrwm,' meddai'r llais. 'Pan fydda'i angan dy farn di mi ofynna'i amdani. Rŵan, Gwern,' medda fo wrtha' i, 'moes imi'th adroddiad a hynny'n gryno!'

'Ga'i ofyn rhwbath ar y pwynt yma, syr?' gin Pererin Byd wedyn ar ei draws o.

'Nachei,' meddwn inna ond mi ofynnodd beth bynnag.

'Bedi'r moes yma sgynnoch chi?' meddai hwnnw.

'Taw!' meddai Triw fel Nos, 'neu mi fferra'i dy dafod di yn dy ben. A d'un ditha, Tincar Saffrwm, oni thewch chi a gadal i'ch arweinydd siarad. Gwern . . .'

'Yn union deg, Triw fel Nos, syr,' meddwn inna'n crafu 'mhen ac yn difaru na fasa Triw fel Nos wedi gadal imi fynd â 'nheithlyfr trydan hefo fi. 'Wel, syr, mi dan ni wedi lled gyflawni pob dim ddeudoch chi wrthan ni dwi'n meddwl, syr. Wedi sleifio fel gwiberod i'r tiroedd oll sydd yn y gynghrair ac a ninna yn rhith llateion rhyfal gynnoch chi, ddaru 'na neb yn croesi ni. Lle cynta aethon ni oedd i'r Winllan Bridd am y môr â ni draw i'r de. Ac yn fan'no ddaru ni gwarfod y Dug Waroncet Cals a'i ddau ystlyswr, Mewdal Bemde a Refrad Bemnos. Tai braf sgynnyn nhw yn y Winllan Bridd yndê? Oeddan ni wedi bod yn chwilio heb isio holi gormod ond dyma ni'n cwrdd y crwydryn Stoti Fragw a hwnnw ddaru'n rhoid ni ar ben ffordd.'

'Dewch gyda fi fforz in,' meddai hwnnw a ninna'n ei ddilyn. Mae gin Stoti Fragw adwy i bob rhyw ddirgal gadarnlefydd yn y deyrnas a dyma fo'n deud wrthan ni, 'Bezwch fel cardotwir gyda mi. Mi gawn groeso gan Waroncet Cals.' Fel cawson ni wybod, ŵyr hwnnw fawr, ond yr hyn ŵyr o fe'i gŵyr yn dda.

'Eistezwch wrth fwrdd,' meddai Waroncet Cals wrthan ni on pedwar. 'Bob o wydrad i'r ceiswyr bara. A bob o dorz ddeubwys iddynt a cig ac afalau daear hynny gymeran nhw! Wyddoch chi, deithwyr, mae yma chwedlau am rai fel chithau'n dyfod o bell i dŷ'r Dug fel hyn. Al Lostig o Blwyreos a Paced Om o Gwitalneblec'h a'r ddau wedi colli'u ffordd. Mi fasa'n werth ichi glwad yr hanas. Welson ni neb run fath â nhw tan heddiw felly croeso a chan croeso ichi i'r Winllan Bridd. Tyrd, Ina Nalta drulliad, tywallt o'r seidar ac o'r gwin ac yfwch chithau ohono'n hael.'

'Gwerthfawrogwn y croeso,' meddwn inna wedi dysgu peth ar y gystrawan ffurfiol. 'Wadwn i ddim fod gynnon ni sychad.' Ac felly buwyd ac felly treuliwyd y gyda'r nos yn slotian ac yn cyfeddach ac yn gneud rhialtwch mawr. A dyma ferch y Dug atom a hitha'n eneth landeg chwerthinog braf.

'Edwina ar Gâl ydw i,' medda hi wrth Pererin Byd.

'Wel tydw i ddim, sorri, nacdw i,' meddai'r pendafad a hwnnw'n dechra deud fod gynno fo gur yn ei ben ar ôl y gwin a'r seidar a Tincar Saffrwm yn dechra dwrdio yn erbyn moesau llac yr oes felly mi es i i gadw cwmpeini i'r Foneddiges Edwina ar Gâl i'w llofft ym mhen ucha'r tŵr a dyna chi noson ddifyr dreulson ni'n sgwrsio ac yn yfad ac yn gneud y pethau a wneir yn draddodiadol mewn sefyllfaoedd felly.

Bora trannoeth, ganol y bora yn y gegin, dyna be welis i ond Tincar Saffrwm yn rhochian cysgu o'i hochor hi ar ben bwrdd a Pererin Byd yn y siambar sorri wedi llyncu mul am 'mod i wedi dwyn ei gariad o! Ellwch chi feddwl ffasiwn hogyn ydi hwn? A lle'r oedd y Dug ond yn dal wrthi hefo'i ystlyswyr Refrad Bemnos a Mewdal Bemde'n tynnu cyrcs ac yn canu am fuddugoliaethau eu llwyth cyn i Rawsman Fawr hel Befehlnotstand a'r Cyrff heb Enaid i gau ar eu peipan wynt nhw.

'Ddug Waroncet Cals, gyfaill, athro,' meddwn i mewn llais dwys er mwyn cael bod yn swyddogol, 'mae'n ddiddorol gin i'ch clwad chi'n sôn am Gwlad Alltud achos dyna pam ydan ni yma . . . na, peidiwch â chael ofn, nid Cyrff heb Enaid mohonon ni, ond llateiwyr rhyfal o Tir Bach yn dwyn ichi negas fel cyd-gynghreirwyr fod ymchwydd arfogi ar y gweill tua'r gororau a dyma dan sêl ac awdurdod Triw fel Nos gwas Ceidwad yr Atab yr hyn sy'n rhaid ichi'i wneud. Ymunwch hefo ni i droi'r llanw yn ei ôl ac ar aelwydydd y Winllan Bridd ac yn ei neuaddau chwedlau'ch campau chi fydd yn atseinio i lawr yr oesau ac nid campau rhyw giaridyms dau-wynebog fel Al Lostig a Paced Om!'

'Be ydi dy feddwl di?' meddai Waroncet Cals yn sobri drwyddo fo. 'Be allwn ni ei wneud a ninna mor fach? Pwy ddaw i ddal danom ni yn ein cyfyng gyngor? Na, mae arna'i . . .'

'Ddug Waroncet Cals, mae gennym eisoes Tir Bach, y Corachod Duon a Gwylliaid y Gwifrau hefo ni heb sôn am Llawr Gwlad, y Winllan Fawr, Hirynys a Baratîr.'

'Ha! Felly! Dŵad atom ni ddwytha un, ia? Wel cheith neb alw'r Winllan Bridd yn llond gwlad o gachgwns! Onid coch ein gwaed ninna? Mi fyddwn yno!'

'Ddaru mi rioed ama na fasach chi,' meddwn inna.

Ar ôl inni ganu'n iach â'r Dug Waroncet Cals a'i lys aethon ni ymlaen i fentro'n siawns yn y Winllan Fawr wedyn. Tincar Saffrwm nath y llanast yn fan'ny ac mi fuodd ond y dim inni golli'r gontract. Fel gwyddoch, Triw fel Nos, syr, un o'r Winllan Fawr ydio'n wreiddiol yndê, ond wedi bod yn crwydro ffyrdd ers cyd fel na o'r bron oedd o'n cofio iaith ei fam hyd yn oed.

'Hogyn clwyddog ydi hwn a diawl mewn croen yn gneud drygau o hyd ac o hyd ac yn . . .'

'Un gair arall, Tincar Saffrwm,' meddai Triw fel Nos yn gas a ninna'n clwad ceg Tincar Saffrwm yn cau fel trap llygod.

Ia, wel yn y Winllan Fawr mi fuodd gynnon ni waith cerddad ofnadwy ac mi gym'rodd hydoedd inni gyrradd Ynys y Winllan a phencadlys yr Arlywydd. Faint nes i'r lan oeddan ni o gyrradd hefyd myn uffar i achos oedd ei lys o fel nyth morgrug a phawb yn rhedag i rwla rwla a neb yn fodlon gwrando arnon ni na chymryd run sylw ohonon ni. A dyma Tincar Saffrwm yn dechra arni ac yn eu galw nhw'n bob enw ac yn paldaruo fel bydd o ond ar dop ei lais ac yn eu hiaith nhwtha ac mi fuodd ond y dim inni gael torri'n pennau o'i achos o ond stori arall ydi honno a myn diân i dyma ni'n cyrradd o'r diwadd i'r oruwchystafall lle'r oedd Jeneral Bol yn cynnal ei lys.

'Wel deud wrtho fo bedani'n da 'ma, Tincar Saffrwm,' meddwn inna wrth hwn a wyddoch chi be ddeudodd o?

'Dydd da bawb ac mi dwinna 'di cael llond bol ar hyn hefyd,' medda fo. 'Ac mae 'na ryfal ar gychwyn a phawb yn ei sgrialu hi i bob man ac ylwch arnoch chitha'n claddu iau bras gwyddau ac yn slotian y coch clir gora ac yn mwydro'ch pennau hefo rhyw reolau gramadag, wfft ichi'r tyrcwns materol well gin i grwydro'n dincar rhyfadd heb ddim byd rhwng fy nwyglust ond be ddoth iddyn nhw'n dechra, felly ydach chi hefo ni ne beidio 'ta'r taclau boldew?'

'Bedi hyn?' meddai Jeneral Bol yn cipio'r brat oddi am ei wddw ac yn gwthio'r bwrdd oddi wrtho. 'Bedi'r lol bara gwin yma gynnoch chi'r pennau saim!'

Egluris inna gystal gallwn i yn fy nhipyn Winllanneg Fawr a Jeneral Bol yn codi'i ffroenau'n uwch hefo pob sill chwithig dros fy ngwefus.

'E buan,' medda fo wedyn ar ôl imi egluro'r croeso oeddan ni wedi'i gael yn y Winllan Bridd a galw ar Ws Wij ei was i'n dangos ni i'n llety.

Sleifar o lety gawson ni hefyd. Llenni o sidan a phapur wal sidan run fath, a'r cwbwl hefo dail blodau piso'n gwely'n batrwm drosto fo i gyd. Poeni oeddwn i pa ddylanwad fasa hynny'n gael ar Pererin Byd, ond fasa ddim rhaid imi fod wedi pryderu achos oedd yr hogyn heb sylwi. Roedd yna lofft bob un inni oddi ar y parlwr gora a gwely pedwar postyn ym mhob un a photal o wirod lliw haul drwy'r coed wrth erchwyn pob gwely.

'Be gawn ni wneud rŵan?' meddai Pererin Byd a chyn imi gael atab dyma gnoc ar y drws a thair o ferchad delia welsoch chi rioed yn camu i'r siambar.

'Noswaith dda, foneddigion,' meddai'r un walltddu dal lygatlas yn dal ei hancas at ei thrwyn. Welwn i ddim bai arni chwaith achos fydd Tincar Saffrwm byth yn molchi, ond doedd dim ots gynnyn nhw wedyn ar ôl cynefino.

'Stafall rong sgynnoch chi, ferchaid bach,' meddai Pererin Byd yn ddiniwad i gyd a wnes inna'm traffarth cyfieithu.

'Ar y gêm ydach chi'r sguthanod?' meddai Tincar Saffrwm ond agorodd o mo'i geg eto'r noson honno.

'Cer i dy wely, Pererin Byd,' meddwn inna. 'Gawn ni feddyg at hwn yn y munud.'

'Gas gin i weld gwaed,' meddai'r un walltddu dal lygatlas. 'Gadewch imi'n cyflwyno ni ichi. Iliona de Mond ydw i a dyma Silty Ple ac Ele Bel. Ffor ora allwn ni eich diddanu chi?'

'Paid â hwrjio dy hen chi a chithas arna'i, mach i,' meddwn inna achos oedd Pererin Byd wedi mynd i glwydo a Tincar Saffrwm yn dal ar wastad ei gefn a'i dafod allan. Dach chi'n ddyn prysur, Triw fel Nos, syr, a 'da i ddim i'ch diflasu chi hefo'r manylion. Ta waeth, difyrru'r amsar wnaethon ni rywfodd tan y bora ac a hitha'n ddydd dyma'r tair yn gwisgo amdanyn ac allan â nhw i'r cyntadd a finna wedi gofyn iddyn nhw anfon am frecwast yn gwely inni ar eu ffordd allan.

Wel a brecwast dwy a dima oedd o hefyd, rhyw rolyn does a hitha'n sych nes oedd ei chonglau hi'n troi i mewn a panad o goffi fasa heb foddi chwannan. Ond oedd Jeneral Bol mewn hwyliau reit dda pan aethon ni lawr.

'Dydd da ichi,' medda fo'n glên. 'Mi dwi wedi cnoi cil

dros nos ar saig bach o gyffylog mewn saws tryfflau ac ar ôl cael gair dros y gwifrau hefo Waroncet Cals mi dwi'n fodlon ymuno ar yr amod mai'r Winllanneg fydd iaith swyddogol y gwrthymosod hanesyddol hwn yn erbyn . . . ehm, gyda llaw, yn erbyn pwy fydd yr ymladd?'

'Ddylach chi ddim bod wedi trafod ffasiwn bethau dros y gwifrau,' meddwn i, 'mi fyddwch wedi gwllwng y gath o'r cwd.'

'O, paid â phoeni, fy ngwas i, mae Waroncet Cals a finna'n dallt yn gilydd a thydi'r Rhai Sy'n Gwrando ddim yn yn dallt ninna.' Dyna be ddeudodd o, syr . . .

'Diawl gwirion ydio hefyd a neb yn ei ddallt o a neb isio gwrando arno fo a hwnnw'n hel yn ei fol o fora gwyn tan nos ac yn . . .'

'Chei di ddim rhybudd eto, Tincar Saffrwm,' meddai'r llais a ias fel llafn yn chwythu droston ni.

'Wel, syr,' meddwn inna, 'fel hyn buodd hi wedyn. Mi gawson ni bàs gin y Gweinidog Trafnidiaeth, Fadonc Andwiy, i byrth y ddinas ac ymlaen â ni o fan'ny i Hir-ynys yndê.'

Mynd hefo cwch fferi ddaru ni. Newid yn dillad ar y cwch a gwisgo'r siwtiau crand oeddan ni wedi cael hyd iddyn nhw yn y wardrôb yn llety plas Jeneral Bol a'r captan llongau'n galw arnon ni i dorri bara hefo fo wrth fwrdd byddigions llongau a Pererin Byd yn codi cwilydd arnon ni i gyd yn taflyd i fyny dan bwrdd ac yn difetha pâr o sgidiau croen llo y captan. Oeddan ni wedi cloi Tincar Saffrwm yn y caban ac oedd hwnnw wedi mynd yn yfflon o'i go ac wedi dechra cynna tân i drio sychu'r holl ddŵr oedd o'n ei weld tu allan ac yn meddwl ei fod o wedi gwlychu'i wely yn ei gwsg ond diolch byth dyma ni'n cyrradd tir mawr o'r diwadd a gofyn i foi bach ar y cei wydda fo lle fasan ni'n cael hyd i'r Tywysog.

'Fi 'di hwnnw,' medda fo'n dechra dawnsio a lluchio'i goesau fatha tasa fo'n trio cael gwarad ohonyn nhw. 'Dowch i gael gwlychu min, mi dwi'n tagu isio peint, oes gynnoch chitha ddim sychad?'

'Oes,' meddai Tincar Saffrwm a'i llgadau fo'n troi'n rhyfadd.

'Nagoes,' meddwn inna.

'Oes a nagoes,' meddai Pererin Byd yn betrus.

Ta waeth, Castw Hen oedd y boi bach ar y cei ac nid y tywysog o gwbwl ond ei fod o isio bod yn glên hefo ni medda fo a ninna wedi dŵad o le pell. 'Ond mi a'i â chi ato fo,' medda fo wedyn a winc arnon ni a ninna'n ei ddilyn mwya ffŵl i ninna.

A'i ddilyn o naethon ni i dŷ Bas le Tart a llond y tŷ'n gwagio gwydrau'n hael o slotwyr a hitha ond yn chwech y bora a'r niwl yn cnoi corneli'r strydoedd tu allan a'r mwg yn dew tu mewn.

'Deud inni gân, Bidohost Ganwr!' gwaeddodd Castw Hen ar hen gono'n y gornal, 'i'r boneddigion eu gwisgoedd sblennydd yma sy'n ein breintio ni â'u cwmpeini'r bore hawddgar hwn gael dy glwad di. Deud hi a'i deud hi'n dda!' Trodd pob pen yn y lle i sbio arnon ni ac yna droi'n ôl i sbio i'w peintiau. Ac mi ganodd Bidohost Ganwr ei gân a hitha'n un hir hir a'i phersain nodau'n cael eu boddi gan weiddi siarad yr Hirynyswyr yng ngyddfau'i gilydd i roi'r byd orau yn ei le.

'Rhai o le ydach chi felly?' meddai dyn a chap llofft stabal am ei ben a thrwyn fel twca ar ei wynab. 'Tydach chi ddim yn Gyrff heb Enaid mi welaf.'

'Nacdan ni,' meddai Pererin Byd, 'mi fedrwn ganu.'

'O Tir Bach,' meddwn inna rhag deud gormod am ein hanas ni ac mae arna'i ofn fod dŵr y fuchadd wedi llacio peth ar fy nhafod. 'Yma i siarad hefo'r Tywysog ydan ni,' meddwn i'n larts.

'Goneiri'n Borlat?' meddai'r dyn, 'Wel cyn sicred â Ceta Ragyt ydi'n enw i, mi fydd yr un dyn â hwnnw yma ar ben saith o'r gloch y bora heddiw ichi. Mi fydd yn dŵad tua'r saith bob bora ar ei ffordd i Dŷ'r Ddadl. Arhoswch ichi gael gweld. Ydach chi am un arall, gyfeillion, dowch.'

Erbyn i Goneiri'n Borlat Dywysog gyrradd roedd Tincar Saffrwm wedi dechra cambihafio eto a hwn, yr hogyn Pererin Byd yma'n mynd drwy'i bethau'n malu cachu hefo'r brodyr Taran Sho a Machan Sho ac yn blorio'i fod ynta'n hanu o Hirynys ac yn gystal slotiwr â neb a finna'n rhy chwil i dorri ar ei draws o.

Dim ond ei droed dros y trothwy fuodd raid i Goneiri'n Borlat ei rhoid a dyma'r lle fel y bedd a Bas le Tart yn gwllwng pin ar lawr a honno'n rhoi tinc bach bitw. A'r ddefod drosodd dyma pawb eto'n rhuo siarad ar draws ei gilydd a Goneiri'n Borlat yn goro cwffio drwyddyn nhw at y bar.

'Byddigions i dy weld di, Dywysog,' meddai Bas le Tart yn codi peint ara deg o gwrw gwyn a du iddo fo ac yn nodi croes ar y llechan y tu ôl i'w ben.

'Oes gynnyn nhw oed hefo fi wedi ei drefnu?'

'Ddowt gin i.'

'Mae'n iawn felly, lle maen nhw?'

'Wrth dy benelin, Dywysog gyfaill, dyma nhw. Gwern Esgus, Tincar Saffrwm Wallgo a Pererin Byd i gyd o Tir Bach yr holl ffordd i Hirynys i dy weld di'n ôl y sôn.'

'Duw i chi a chanmil croeso,' meddai Goneiri'n Borlat Dywysog yn drachtio'i beint. 'Ba chwedlau?'

Egluris gystal gallwn i hefo Pererin Byd 'ma'n rhoid ei big i mewn bob munud yn blorio'i achau Hirynys ac yn torri ar fy nhraws i. Un call ydi Goneiri'n Borlat, o ia. Ganol y bora a finna'n dal i ddeud fy neges mi anfonodd Goro Magyt y Gweinidog Amaeth i Dŷ'r Ddadl i ohirio trafodaeth y bora ac erbyn canol y pnawn oedd o wedi danfon Nabi Magaffŵm o Slifgarw i gyhoeddi amnest ryngwladol i bawb dan oed.

'Dwisho cyfflwyno rhwfyn i Tincar Shaffrwm,' medda fo tua pedwar o'r gloch a'r pnawn yn tynnu'i draed ato a phladras o ddynas fawr bengoch yn gwthio pawb o'i ffordd ac yn ei sodro'i hunan wrth ei benelin ar y bar. 'Tincar Shaffrwm . . . dyma fy chwaer, Tami Ngralat . . . Tami Ngralat, dyma fy nghyfaill Tincar Shaffrwm o Tir Bach, llatai rhyfal Triw fel Nos, neb llai . . .'

Gwrandwch, syr, fasan ni wedi bod nôl sbelan cyn hyn blaw am hynna, ond dyna fo, waeth inni heb â chodi pais, ac mae Tincar yn well rŵan wedi cael gwraig dda yn Tami Ngralat a honno'n gysur iddo fo yn ei henaint, ond wannwl dad wyddwn i ddim y bydda'r neithior yn para tair wythnos . . .

Swm a sylwadd hynna ydi bod y ddau wedi trefnu i logi dros gaea dŷ ha bach o'r enw Bwlch nid nepall o Dre'cw yn Llawr Gwlad lle cân nhw fwrw'u swildod, ond iddo fo'n gynta gyflawni'i wasanath i chi yndê, ac os ceith o adfer ei bwyll. Wedyn mae hwnnw'n os mawr i ddechra cychwyn tydi.

Wel, rŵan, wrth gwrs mi gytunodd Goneiri'n Borlat yn syth bin ei fod o hefo ni'n do. Oeddan ni'n gneud yn iawn hefo fo, ac yn aros acw hefo fo a Pererin Byd yn golchi llestri a Tincar Saffrwm yn caru hefo Tami Ngralat a Goneiri'n Borlat a finna'n pori dros y strategaeth yng nghwmni potal bymthengmlwydd o ddŵr y fuchadd, ond gwrandwch, syr, dyna'r ffordd raid ichi neud busnas yn Hirynys, syr, a rhywun ddeudith fod tair wythnos a thridia'n hir i gloi bargan hefo Goneiri'n Borlat, wel, syr, mae o'n siarad drwy'i het.

'Ga'i ddeud rwbath rŵan plîs?' meddai Pererin Byd yn dal ar y saib.

'Ydio'n bwysig?' meddai'r llais drwy'r awyr bygddu.

'Wel, nacdi, ond . . .'

'Bydd ddistaw felly a cau dy geg,' meddai'r llais. 'Felly dyna fel buodd hi'n Hirynys. A'r ola o'r cymanwledydd, Baratîr, gawn ni hanas honno rŵan, Gwern?'

Ia, wel wedi canu'n iach i Goneiri'n Borlat a sêl Tŷ'r Ddadl o dan fy nghesail toedd dim amdani ond ei gneud hi am y maes awyr a chael lle ar y Traws Eigion. Cysylltiadau Goneiri'n Borlat sicrhaodd inni le arni o flaen pawb ar waetha'r dogni ac mi roth ddillad cenhadon amdanon ni a phapurau milwyr cudd yn ein pocedi ni a feiddiodd yna neb sefyll yn ein ffordd ni wedyn, ddim hyd yn oed yrwyr tacsis y lanfa.

'Dwi 'di clwad fod hon yn wlad oer oer,' meddai Tincar Saffrwm yn lapio'i hun yn dynn mewn côt ffwr cyn disgyn o'r llong awyr i'r twnnal.

'Pawb at yr hyn a gredo,' meddwn inna'n torchi llewys fy nghrys cotwm ac yn tynnu fy sbectol haul allan o'i phwrs.

'Chlywis i rioed air o sôn am y lle,' meddai Pererin Byd yn ei drwsus bach a'i fflachod a het groen arth am ei ben, 'ond dwi 'di bod isio dŵad erioed ond ei bod hi'n rhy bell i gerddad.'

Tincar Saffrwm oedd yn iawn a ninna'n llusgo'n paciau oddi ar y carpad troi a'r croen gwydda'n codi ar fy nghoesau a Tincar Saffrwm wrth ei fodd yn ei gôt ffwr ond munud agorodd y pyrth gwydyr i'r stryd oedd hi fel cerddad i ffwrnais Dowlais a Tincar Saffrwm yn tynnu amdano'n gynt na merchad Felin Goch Winllan Fawr.

Gofyn wnes i i'r tacsiwala aetha fo â ni at yr Ymerawdwr Bara Hati ond cwbwl wnaeth o oedd chwerthin a siglo'i ben fel doli bren.

'Enw fi 'di Mera Desh,' medda fo. 'Ydach chi isio gweld cofadail Swnda Lerci yn y Swnda Nagar, fy nghyfeillion, achos fan'ny dwi'n mynd â chi. Pawb yn mynd i weld cofadail Swnda Lerci godwyd gan Siâ Citna Paisa'i gŵr hi i dynnu ymwelwyr i'r fan.'

'Nagoes tydan ni ddim isio,' meddwn i.

'Oes, oes, Sabji, twristiaid i gyd isio gweld cofadail Swnda Lerci godwyd gan Siâ Citna Paisa'i gŵr hi i dynnu twristiaid i'r lle.'

'Stopia'r car!' meddwn i wedi gwylltio. 'Nid twristiaid ydan ni!'

'Reu ydach chisio, Sabji! Dewch mi awn at y Pân Wala ar gornal Pansh Myrtli dan gysgod y pomgranadwydd, hwnnw sgin y gora!'

'Yma i weld Bara Hati Ymerawdwr ydan ni,' meddwn i, 'ac os nad ei di â ni ato fo chei di mo dy dalu!'

'Atsha, Sabji, iawn, pam na fasach chi'n deud!' medda fo a mynd â ni heb chwanag o draffarth.

Cael ein hebrwng gawson ni gan y tsiocodâr Paty Nyhihy borthor yn ei benwisg ysblennydd o goch ac aur, i mewn i gyntedd tywyll ar ôl tanbeidrwydd haul, ac i fyny rhyw risiau bach troellog cul a chitha'n goro gwasgu wysg ych ochor i'w dringo hi. O'r diwadd dyma hi'n agor i goridor llychlyd a drysau'n agor oddi arno fo ar ei hyd.

'Swyddfa dau pedwar saith, ymweliadau,' meddai Paty Nyhihy Tsiocodâr a chodi cledar ei law ar ei dalcan.

'Diolch,' meddwn inna ond oedd o'n dal i sefyll yna'n rhowlio chydig ar ei ben.

Roeson ni dair uned ynni iddo fo am ei draffarth ac i mewn â ni i'r swyddfa lle'r oedd yna lond y lle o'n blaenau ni o bobol yn gwitsiad eu tro, rhai'n eistedd, rhai'n gwasgu am y cowntar ac eraill a'u coesau ymhleth ar lawr yn rhannu tamad o ginio.

Ymhen hir a hwyr gawson ni gofrestru'n presenoldeb a'r swyddog Meranam Wt-he'n agor ffeil inni ac yn ei stampio'n swyddogol.

'Rhaid ichi lenwi'r ffurflen yma dair gwaith a dychwelyd y copi pinc i mi,' medda fo.

'Lle mae Tystysgrif y Gyfundrefn Flaenoriaeth Gyffredinol?' gofynnodd o wedi inni gwffio'n ffordd yn ôl at ei ddesg o a'r ffurflan binc yn barod.

Yrris i Pererin Byd wedyn mewn berfa deithio ar draws y ddinas i godi'r dystysgrif ac erbyn iddo fo gyrradd yn ei ôl roedd yr ymwelwyr eisoes yn dadbacio'u plancedi ac yn paratoi i'w gwlâu.

'Dewch yn ôl ar ôl peth amser,' meddai Meranam Wt-he.

'Bedachi'n feddwl?' meddwn inna a 'nghalon i'n suddo. 'Faint o amsar, swyddog syr?'

'Fory, drennydd, dradwy,' medda fo'n siglo'i ben ac yn ein troi ni o'r neilltu hefo osgo ddiog o'i law.

'Yma'r ydan ni ar fusnas swyddogol o Tir Bach,' meddwn i'n flin, 'ac mi fydd gynnoch chi waith atab i Bara Hati Ymerawdwr am yn cadw ni i ddisgwyl fel hyn.'

'Beth i'w wneud?' meddai Meranam Wt-he'n siglo'i ben. 'Y ddau frawd Garam Pani a Tanda Pani o Rajpwr, mi fuon nhw yma ddydd a nos am ddeugain mlynedd, a faint elwach oeddan nhw? Dŵad ddaru nhw i gyflwyno cais gerbron Dybl Roti Ymerawdwr ynglŷn â'r hawl i gloddio am ddŵr yn Mera Gawn ac erbyn iddyn nhw gael mynd drwodd ato fo oedd o wedi ei hen amlosgi a'i fab o, Bara Hati-ji'n ymerawdwr yn ei le ac yntau ddim yn gwybod dim byd am eu hanas nhw a'r ffeil wedi ei hen golli ac mi fuodd raid iddyn nhw fynd adra'n waglaw yn diwadd.'

'Wel toes gynnon ni ddim deugain mlynadd i'w sbario,' meddwn i'n sbio i fyw ei llgadau fo. 'Jest deutha'i llaw pwy sydd isio'i hiro!'

'Pa bryd ydach chi isio'i weld o, Sabji?'

'Bora fory.'

'Atsha, Sabji,' medda fo'n crafu'i ên. 'Dewch â chan uned ynni i mi'n ernes fan hyn ac wedyn ewch hefo'r Tsiocodâr Paty Nyhihy at Parana Licana'r Llythyrwr i Sgwâr Bodmarsh Lerci a rhowch iddo'r nodyn yma ynghyd â dau gan uned ynni arall ac mi fydd popeth wedi ei drefnu ichi erbyn naw bore fory. Atsha?'

'Fedrwn ni ddim fforddio hynna,' meddwn i'n glwyddog. 'Gewch chi hannar cant rŵan ac mi ro'i gant i Parana Licana'r Llythyrwr ac mi setlwn am ddeg o'r gloch. Iawn?'

Mi ddechreuodd siglo'i ben eto o ochor i ochor a golwg curiedig arno fo'n deud, 'Sabji, mae chwyddiant yn rhemp ym Maratîr Fawr. Rhowch ddeg y cant ar ei ben o a dŵad erbyn hannar awr wedi deg ac mi fydd popeth wedi ei drefnu, Sabji.'

'Bahŵd Atsha,' meddwn inna a dyma ni'n ysgwyd llaw.

Un mawr mawr ydi Bara Hati Ymerawdwr a locsan fawr ddu yn llenwi'i ben a phenwisg uchal eurog am ei gorun a chleddyf hirfain gwain eurog hefo gemau arni'n fflachio ar y ddesg o'i flaen nesa at y ffôn. Mae'n rhaid gin i fod gynno fo risiau arall lletach yn y cefn neu na fydd o byth yn mynd allan. Cwbwl wnaeth o oedd codi'n ffeil ni, chwythu'r llwch oddi arni hi a deud, 'Tshaiwala, paned i'r gwesteion!'

'Bara Hati-ji, Ymerawdwr Haul Daear a Baratîr fawr, negas oddi wrth Ceidwad yr Atab!' meddwn inna wedi inni gael gwydrad bob un o'r te drwy lefrith melys. 'Y Cyrff heb Enaid yn hel am y gororau ac isio gwybod mae Ceidwad yr Atab a ddewch chi hefo ni â'ch lluoedd yn gefn inni i wthio Gwlad Alltud yn ei hôl?'

'O, dyna ichi le da oedd yma pan fydda Gwlad Alltud yn rheoli,' meddai Bara Hati a deigryn yn dŵad i'w lygad ffyrnig. 'A disgyblaeth wych gan y Cyrff heb Enaid yna yn y fyddin. Does dim trefn i'w gael yma heddiw a dim parch at neb na dim. Ydi'r trenau'n rhedeg ar amser? Nacdyn. Ydi'r dydd a'r nos yn cadw at yr oriau penodedig? Nacdyn. Oes yma un dyn ar ôl fedar baratoi saws gwyn llwyddiannus? Nagoes! Mi gânt ddŵad fory nesa'r cynghorwyr, y Cyrff heb Enaid a Rawsman Lywydd hefo nhw, cânt â chroeso, dim ond bod gynnyn nhw gogydd. Mi fasa'n llawar llai o strach i mi tasa gin i rywun fatha nhw i redag y sioe yma drosta'i.'

'O Bara Hati-ji ddewr, O Ymerawdwr Bydysawd, O Nerthol Deyrn, mi edrychith yn o debyg eich bod wedi cael llond tin o ofn ac isio cachu allan o'ch oblygiadau.'

'Ydach chi'n meddwl? Hmm, gwrandwch, mi wn i be wna'i hefo chi. Rhag colli gwynab mi ddanfona'i hynny fedra'i sbario o 'myddin ynghyd â chwech cawrfil sioe, ddylia hynna gadw Ceidwad yr Atab yn hapus; ond wir ichi, toes gynna'i ddim ffydd ynddyn nhw fel cwffiwrs!'

'Diolch Bara Hati-ji,' meddai'r tri ohonon ni ac i ffwrdd â ni.

'Mi rydach chi wedi cyflawni'ch gwaith yn weddol,' meddai llais Triw fel Nos, 'ac er nad wyt ti ddim wedi dweud y cwbwl wrtha'i am yr hanas mi wneith dy stori di'r tro am rŵan. Dyma ichdi dy deithlyfr trydan yn ei ôl. Cerwch rŵan i baratoi at ryfal. Gwern, dwi am i chdi feithrin dy grefft fel pensaer meddalwedd hefo Lloerig Hunlla, Cadfridog Heddgeidwaid Awyr, a chditha, Pererin Byd, well i chditha fynd hefo fo'n brentis. Byddwch yn Ogofâu'r Awyr am saith. Tincar Saffrwm, gei ditha fwrw dy wasanaeth yn bugeilio mulod y fyddin yng Nghwm Lleichiog. Rŵan, unrhyw gwestiynau?'

'Dim byd, syr,' meddwn i.

'Oes, un,' meddai Pererin Byd. 'Bedi'r ddôr fawr yna wrth odra'r clogwyn gwnithfaen? Tydi hi'n arwain i nunlla.'

'Nacdi, Pererin Byd bach,' meddai'r llais yn amyneddgar. 'Tydi hi'n arwain i nunlla oni phlesith iddi, ac aros mae Ceidwad yr Atab am y sawl a ddêl a'i hagor a hitha'n agor i'w dderbyn neu i'w derbyn modd y gallo'r golau gwyn lifo drwyddi i'r Isfyd llwm. A'r sawl a gaiff ganddi agor fel yna fydd gwir etifedd Ceidwad yr Atab ac a'n harwain ni i fuddugoliaeth ac a eisteddo ar ei law dde.'

'Fasa hynny ddim yn anghyfforddus braidd?' meddai Pererin Byd.

'Oes gen ti gwestiwn, Tincar Saffrwm?' meddai Triw fel Nos yn anwybyddu'r diniweityn.

'Mae gen i un cwestiwn,' meddai Tincar Saffrwm. 'Ai oherwydd fy aeddfedrwydd o ran blynyddoedd neu ynteu oherwydd fy llygaid barcud y'm dyrchafwyd yn fugail mulod i Geidwad yr Atab yn lle goro mynd yn brentis fflio i ryw ogof? A chyda llaw, pryd ca'i fynd at Tami Ngralat i'r Bwlch?'

'Nid un cwestiwn mo hynna,' meddai Triw fel Nos.

'Ddeudis i rioed 'mod i'n sgut am gyfri.'

'Wel yn atab, mi roedd yna ystyriaethau eraill ynghlwm wrth dy "ddyrchafiad" di, ac mi gei di fynd i'r Bwlch ar bentymor a chditha wedi gweini dy dymor yn Tir Bach. Rŵan os gwnewch chi fy esgusodi fi, mae gennyf adroddiad i'w baratoi. Yn iach ichi ddarpar-arwyr, a da boch.'

Tystiolaeth Chwech "" yn dilyn . . .

Meistar calad ydi'r Tywysog Llwch Dan Draed i'r rheini sydd dan ei bawan o, ond a ninna rŵan yn atebol i neb ond Triw fel Nos a Lloerig Hunlla doedd dim rhaid inni boeni llawar am y corrach blin. Cael ei orchmynion o'r Isfyd drwy Sgrin y Gwifrau fydda fo ac yn eu gweithredu nhw i'r llythyran hefyd, ond gwae'r neb a gamai dros y tresi hefo fo, mi fydda'i groen o ar y parad y pnawn hwnnw. Cyn pen yr wythnos ar ôl cyhoeddi'r rhyfal roedd gan Llwch Dan Draed lond yr hualdy'n griddfan o filwyr oedd wedi ei dramgwyddo rywfodd.

Dwi'n cofio'r milwr Dan Ormas o Benllithrig yn cael tridia heb wres na phlancad yn y gell gosbi am fod â botwm ar goll ar ei grys, a dim ond Wennol Helyg Forwyn Ddŵr gadwodd o'n fyw drwy sleifio crys iddo fo'n hwyr y nos drwy radall y to.

A dyna ichdi'r diwrnod cyrhaeddodd Côd Newydd y Gwifrau a dim gobaith i'r Cyrff heb Enaid ei gracio fo tro'ma, ddylis i, a finna'n gwybod ei fod o'n un da achos ges i weithio peth ar bensaernïo'r meddalwedd, y diwrnod cyrhaeddodd y Côd Newydd dyma Lladd Dau Aderyn o Gantra'r Erchwyn yn cael mis yn galad dan ddyrnau'r corachod am awgrymu fod Tir Bach bellach yn ddiguro.

'Toes yna uffar o neb yn ddiguro!' gwaeddodd Llwch Dan Draed arno fo'n cael ei fartsio allan.

'Nagoes!' meddai Pererin Byd, 'Ac mae 'na feistar ar Mistar Mostyn hefyd!'

'Be ddeudist ti'r cwtrin powld?' meddai Llwch Dan Draed yn crenshian ei ddannadd. 'Mi gei ddifaru ichdi ddeud hynna'r llinyn trôns uffar ichdi.'

'Paid â siarad fel'na hefo fy swyddog cynorthwyol,' meddwn inna, 'neu mi gei atab amdano fo i Triw fel Nos.'

'Chdi eto!' medda fo'n pwyntio bys cynddeiriog tuag ataf fi. 'Pan fydd y rhyfal yma drosodd, washi!'

'O, a gyda llaw, Llwch Dan Draed, ynglŷn â rhyw unedau ynni wyt ti'n honni fod arnon ni ichdi, mae Lloerig Hunlla angan pob tamad o ynni geith o rŵan ar gyfar y Peiriannau Heddwch ac mi dan ni wedi penderfynu cyfrannu'r ddylad at yr achos, mi wyddwn y byddat ti'n cytuno. O, ac mae Pererin Byd isio'i gerrig yn ôl, rheini fenthycaist ti, neu mi ddeuda'i wrth Triw fel Nos dy fod ti wedi eu dwyn nhw.'

Mi aeth gwynab Llwch Dan Draed o goch i biws i wyn a fynta ar ei orsadd yn sgrwnsian clustog euraidd rhwng ei ddyrnau nes oedd y plu'n fflio. Ond cael ei gerrig yn eu holau gafodd Pererin Byd a fynta'n eu cyfri'n garcus i mewn i'w sach.

'Deu, diolch ichdi, Gwern,' meddai Pererin Byd yn wên

o glust i glust. 'Fuodd yna neb o'r blaen mor ffeind â chdi hefo fi.'

'Wel mae'n rhaid ei bod hi wedi bod yn galad arnach di felly. Rŵan taw â dy lol,' meddwn inna. 'Tyd, awn ni i chwilio am Tincar Saffrwm cyn inni'i chychwyn hi am Gwlad Alltud.'

Fuon ni ddim yn hir yn cael hyd i Tincar Saffrwm achos yn ei gwt o'n smocio'i getyn oedd o, yng nghesail y Gelltydd Duon ym mhen ucha Cwm Lleichiog uwchlaw'r pentra a llond y ffriddoedd am a welat o amgylch ei gwt o fulod yn pori'n braf. A'r haul yn gloywi'r brwyn a'r rhedyn yn goch a'r adar yn canu o'r allt, a Pentra Newydd ymhell islaw fel cwymp newydd o greigiau chwaral a'r llwch yn dal i godi oddi arnyn nhw, oeddwn i'n gweld Tincar Saffrwm wedi cael lle da iawn yn cael gneud dim byd drwy'r dydd ond ista'n ei gwt bugail yn smocio'i getyn am yn ail â phwyri i lygad y tân a weithiau'n cadw hannar llygad ar ei fulod drwy'r drws agorad. Mae'n rhaid fod cael amsar i synfyfyrio yno ar ei ben ei hun wedi lliniaru peth ar dyndra'i ben achos oedd o fel tasa fo wedi cael adfar iddo fo rywfaint o'i bwyll.

'Dewch i mewn, gyfeillion, a rhowch glun i lawr,' medda fo a ninna'n twllu'i ddrws o. 'Eglurwch imi pwy ydych ac a ydych yn cymryd siwgwr?'

'Wedi dŵad i ganu'n iach hefo chdi am y tro,' meddwn i. 'Pererin Byd a finna'n hedfan heno am hannar nos hefo'r cyrch cynta i Gwlad Alltud.'

'Mulod ddim digon da gynnoch chi rŵan, ia? A be wyddost ti am fflio'r trychfil clwyddog? Ac i be wyt ti'n llusgo'r Pererin Byd diniwad yma hefo chdi? O mae'r ddau ohonoch chi'n ddigon i 'ngneud i'n benwan! Dwn i'm byd! Dwn i'm byd wir!'

'Paid â chynhyrfu rŵan, Tincar Saffrwm,' meddwn i wedyn. 'Duwcs, dwi 'di hen arfar hefo Gêm Hedfan Perthynol Gorad Drw Nos Dre'cw, ac mi dan ni 'di bod dan hyfforddiant hefyd hefo Lloerig Hunlla, Cadfridog Heddgeidwaid Awyr Ceidwad yr Atab, ac wedi dysgu pob dim oedd ganddo fo i'w ddysgu inni, a diawl, tydi'r sustemau newydd yma'n chwara plant chadal yr hen rai fyddwn i'n gweithio arnyn nhw stalwm?'

'Ac os ydi Gwern yn mynd mi dwinna'n mynd,' meddai Pererin Byd yn bendant. 'Mi edrychith o ar f'ôl i, gneith yn tad, yn well na fasach chi'r hen rwdlyn ichi, dim ond blin a chas fuoch chi hefo fi erioed ac mi . . .'

'O, clywch y mwnci'n prepian, clywch y cnaf yn brathu'r llaw, o'r snechgi bach, mi ddangosa'i ichdi sut mae'i dallt hi . . .'

'Byddwch ddistaw y ddau ohonoch chi,' meddwn inna ar ei draws o a fynta'n glafoeri fel llyffant, finna'n sefyll rhwng y ddau a Pererin Byd yn trio mynd o dan bwrdd oddi wrtho fo. 'Callia nei di! A phaid titha â'i dynnu o yn dy ben, Pererin Byd, sbia wedi'i gynddeiriogi o wyt ti! Well inni fynd. Diolch am y banad . . .'

'Ia, cerwch o'ma! Dyna chi, gadwch fi yma ar fy mhen fy hun 'ta! Dyna chi, doswch, mots gin i amdanoch chi'r cnafon yn fy ngadal i yma'n unig heb ddŵad ar fy nghyfyl i am fisoedd ac yn dŵad am bum munud a dyna fo'n mynd wedyn i gael ych lladd yn Gwlad Alltud a be wna inna wedyn sgwn i? Ond diomots gynnoch chi nacdi, chi a'ch lifrai newydd a'ch capiau pig a'ch streips a'ch steil faint elwach fyddwch chi o'ch rhwysg a chitha ar waelod ffos a brain yn tynnu'ch llgadau chi a ngwaa ngwaa ngwaa ngwaa . . .'

Roeddan ni'n clwad ei lais o'n gweiddi dan y sêr mân oedd yn dechra britho'r awyr uchal ond cipiodd gwynt y ffriddoedd ei eiriau fo diolch byth a'u chwalu nhw'n ddirmygus yn erbyn y garn. Pan drois fy mhen mi welwn o'n smotyn tywyll wrth ei gwt yn sboncio i fyny ac i lawr fel pry copyn yn rhwydo'i brae ac mi sodrais fy nghap yn dynnach am fy mhen a rhoid traed dani am Pentra Newydd a Pererin Byd o'm hôl.

Erbyn wyth oeddan ni i fod yn yr ogofâu awyr a cael a chael fuodd hi inni gyrradd mewn pryd. Gwasgu'n rhifau adwy i'r blwch a'r llechan yn symud ar ddwy rêl ddistaw inni gamu i mewn i'r siambar ragbaratoi. Roedd y criwiau yno'n barod, bob yn bâr, a'u pennau yn Sgrins y Gwifrau'n chwilio am unrhyw newidiadau munud ola.

'Su'mai hogia,' meddai Hy ar Bawb Beilot yn codi'i ben o'i sgrin. 'Barod i chwipio'u tinau nhw?'

'Mae'r wialan fedw'n barod gin i,' meddwn inna ac ar hynny dyma Lloerig Hunlla i'r siambar i ddeud gair bach cyn inni fynd at ein peiriannau. Wrandawis i fawr arno fo mae arna'i ofn achos run fath fydd o'n siarad bob tro'n rhygnu 'mlaen am ei orchestion yn y rhyfal cynta'n erbyn y Cyrff heb Enaid ac am y llun ohono fo ar furlun neuadd Llwch Dan Draed a bod ei lun o'n fwy na llun neb arall ar y wal a faint mor braf oedd hi heddiw ar yr heddgeidwaid awyr ifanc fatha ninna'n cael ein lladd yn gwbwl ddidraffarth heb feddwl dim faint o draffarth fydda'r hen do'n goro mynd iddo fo i gael eu difa a bod dim rhuddin rŵan gin warchodwyr Llwch Dan Draed ac mai'r unig beth oedd yn cadw dan Tir Bach oedd y fo

Lloerig Hunlla a'i heddgeidwaid awyr a hebddyn nhw mi fasa Tir Bach yn llwch erstalwm a Triw fel Nos yn canu am ei swpar a felly 'mlaen hyd syrffad ac oeddwn inna ar bigau'r drain isio cael cychwyn ac yn torri 'mol isio dringo i glydwch y caban llywio yn lle bod neb yn gweld fy nwylo i'n crynu. O'r diwadd dyma fo'n cau'i big a dechra ysgwyd llaw hefo ni gyd a gwasgu'n sgwyddau ni ac yn dymuno rhwydd hynt inni a finna'n clwad ogla melys dŵr y fuchadd ar ei wynt o. Dim ond wedyn oeddan ni'n cael mynd drwodd at y peiriannau heddwch. Pererin Byd a finna wedyn yn chwipio drwy'n gwaith yn profi'r llafnau ac yn archwilio'r gwthiwrs ac yn sicrhau fod pob cylch trydan yn rhydd i droi. I'r caban llywio â ni wedyn a'r mygydau anadlu a'r helmau siarad am ein pennau a ninna'n codi bys bawd ar y criwiau i'r llaw dde ac i'r llaw chwith ac yn tanio'r injan yn bwyllog a'i chodi hi i'r ddegfad radd a'r pyrth awyr yn ara deg bach yn llithro draw a'r peiriannau boldew yn rhowlio fesul un am y llinall esgyn ac yn agor eu hesgyll cwta cyn ei dyrnu hi lawr y llinall a rhuo'r injan yn cyrradd drwy'r helmau siarad a'r eiliad nesa dim byd ond gola coch fel seran wib a'i thin ar dân yn gwibio oddi wrthon ni.

'Peiriant saith dau un saith, Gwern Esgus, deg eiliad ar hugian,' meddai llais y cysylltwr. 'Llinell tri ar ddeg.'

'Pererin Byd, rho'r cwmpawd trydan ar ddim dim dim a chadarnhau,' meddwn inna.

'Cadarnhau,' meddai Pererin Byd a finna'n lluchio'r clo oddi ar yr olwynion ac yn rhowlio hyd llinell tri ar ddeg tua'r pyrth awyr.

'Pump, pedwar, tri, dau, un, hitia hi!' meddai'r cysylltwr a finna'n ei hitio hi a'r peiriant yn rhuo a ninnau'n cael yn gwasgu i'n seddi yn gwibio ar hyd y llinell drwy'r pyrth i'r nos a thrwyn y peiriant yn codi am y sêr.

Gwrando'r cysylltydd yn cyfarwyddo'r fflyd wnaethon ni wedyn a finna'n tynnu'r olwynion bach i mewn i fol y peiriant ac yn gwylio'r goleuadau'n fflachio ar y sgrins awyr o 'mlaen i'n dangos fod pob dim yn gweithio fel wats.

'Peiriant saith dau un saith, lleoliad,' meddai'r cysylltwr.

'Deg ar ben cant, saith saith wyth de ddwyrain ar dair mil unad,' meddai Pererin Byd yn darllan ei gwmpawd trydan.

'Torri cysylltiad llais,' meddai'r cysylltwr, 'cachwch ar eu pennau nhw, hogia,' ac oeddan ni ar ein pennau ein hunain hefo'r sgrins awyr a'r rheini'n dangos lle'r oeddan ni yn nhrefn y fflyd.

'Da'r hogyn,' meddwn i wrth Pererin Byd. 'Mi ddysgist dy grefft yn dda.'

'Diolch,' medda fynta, 'sgin i ddim ofn cofia. Ma gin i ffydd ynoch di i ddŵad â ni'n saff adra.'

'Paid ti â phoeni dim am hynny,' meddwn i. 'Mi bryna'i sleifar o frecwast ichdi yn nhŷ Bol Fflamia bora fory.'

'Unig beth sydd,' meddai Pererin Byd wedyn, 'argol mi wneith y taflegrau 'ma sgynnon ni lanast ar Gwlad Alltud yn gwnân?'

'Gwnân decini,' meddwn inna. 'Os gwnawn ni'n gwaith.'

'A lladd?'

'Targedau milwrol ydi'n nod ni yndê, Pererin Byd.'

'Ia, ond . . . '

'Gwranda, Pererin Byd, rhyfal ydi hwn ac mae 'na rai'n goro cael eu lladd mae'n siŵr neu fasa fo ddim yn rhyfal.'

'Fyddan nhw'n marw heb wybod pwy lladdodd nhw a ninna wedi'u lladd nhw heb wybod pwy laddon ni.'

'Mi lasa ddigwydd, Pererin Bach. Fydda fo mo'r tro cynta.'

Fuon ni'n ddistaw wedyn am yn hir a'r peiriant yn ein gwthio'n bellach bellach i'r nos a rhimyn pinc yn dechra gloywi cymylau erchwyn byd oddi tanon ni.

Gwylio'r sgrins eto wedyn i weld oedd cyfrifiaduron y peiriant yn gneud eu gwaith, a'r rheini'n dechra gollwng y peiriant yn ara deg am i lawr tua'r cymylau ac yn ein troi i'r dde a'r sgrin arfau'n fflachio 'Arfogi'.

Gwasgu'r botwm arfogi wedyn a'r sgrin yn cadarnhau fod y taflegrau wedi cloi ar eu targedau ac yn barod i fynd.

'Taflegryn un. Gollwng,' meddai'r sgrin a finna'n gollwng taflegryn un a hwnnw'n saethu ymlaen ac yn gwyro i'r chwith oddi wrthan ni ac yn diflannu drwy'r cymylau.

'Taflegryn dau. Gollwng,' meddai'r sgrin a hwnnw wedyn yn saethu ymlaen ac yn gwyro i'r dde.

Gwylio'r taflegrau ar y sgrin daro wedyn a dwy weiran gaws yn dŵad ac yn croesi yng nghanol y sgrin uwchben rhyw adeiladau neu ryw ffatri neu rwbath a'r rheini'n agosáu bob eiliad nes llenwi'r sgrin.

'Taflegryn un. Cadarnhau'r targed,' meddai'r sgrin daro a finna'n gwasgu'r botwm coch i gadarnhau ac yn gweld y ddwy weiran gaws yn syth bin dros ben yr adeiladau a'r weirennau'n agor a'r adeiladau'n ym-ffrwydro ac yn chwalu ac yn chwydu o'u perfadd belan o fwg fel melynwy wy'n disgyn i bowlennad o flawd a'r sgrin yn newid ac yn dangos y ddwy weiran yn dechra croesi uwchben argae neu gronfa o ryw fath a'r ddwy weiran yn cloi ar y gwrthglawdd.

'Taflegryn dau. Cadarnhau'r targed,' meddai'r sgrin daro a finna'n cadarnhau ac yn gweld yn y sgrin ddynion fel morgrug duon yn sgrialu o'r cytiau ar y gwrthglawdd a'r eiliad nesa y clawdd yn agor a thon enfawr o ddŵr a choed a cherrig yn sbydu pob dim o'i blaen a'r morgrug yn mynd hefo hi a'r sgrin wedyn yn cau hefo'r negas 'Cyflawnwyd'.

'Adra â ni felly,' meddwn i a pwys yn codi ar fy stumog i'n meddwl am y morgrug bach yn cael eu sbydu.

'Ydi o drosodd?' meddai Pererin Byd yn agor ei llgadau a finna'n gweld dim byd drwy'i fwgwd anadlu a'i helm siarad o ond ei llgadau wedi dychryn o.

'Gosod y cwmpawd am adra, Pererin Byd,' meddwn inna ac yn clwad y blindar yn crafu yn fy llais.

'Lle ydi fan'no?' medda hwnnw'n gosod y cwmpawd.

'Paid ti â dechra arni,' meddwn inna'n flin. 'Diawl o help wyt ti 'di bod imi a finna hefo job isio'i gneud.'

'Fel arall ddeudist ti neithiwr.'

'Ac mae heddiw'n ddiwrnod newydd. Ac wyt titha'n blydi da i ddim byd i neb, y cadi ffan di-asgwrn-cefn ichdi.'

Cwbwl wnaeth Pererin Byd oedd sbio allan o'i ffenast ochor heb ddeud gair ac mi wnes inna run fath a sbio drwy'n ffenast inna a gadal i'r peiriant fynd â ni a dyna pryd gwelis i'r belan bach olau'n codi drwy'r cwmwl tuag aton ni a chyn imi godi'r sgrin amddiffyn roedd hi wedi glynu yn yr adan dde y tu ôl i'n ysgwydd i.

'O Dduw Mawr,' meddwn i a dechra dyrnu'r botymau ar y ford oriadau a dyma'r glec yn dŵad ac yn ein hysgwyd ni fel brwynan a finna'n sbio ac yn gweld hannar yr adan wedi ei rhwygo i ffwrdd ac un o'r gwthiwrs gwynt wedi mynd hefo hi a ninna'n plymio drwy'r cymylau ac yn gweld dim byd ac yn dŵad o'r cwmwl a'r wlad yn agor fel llyfr lluniau oddi tanon ni a'r pwysau'n llenwi fy mhen i a 'nghlustiau'n sgrechian a'r caban yn troi o gwmpas fy mhen i a finna'n methu symud bawd na throed a dim ond jest medru gweiddi ar Pererin Byd i wasgu'i fotwm dianc a'n stumog i'n cloi y tu mewn imi a finna'n gweld yr eira'n sgleinio ar gopaon y mynyddoedd a haul y bora'n glir fel grisial a choed yr allt yn noethion a'r brain yn crawcian a gweld coed y berllan ar eu hochrau wedi cael clec bob un a'u brigau'n llenwi llwybyr trol Garrag Elin a llond y weirglodd o redyn yn frown ac yn galad a'r afon islaw'n dagfa o hen sbwrial a dafad wedi marw ar ei hochor ynddi hi a'i gwlân hi'n dresi yn y llif a'i dannadd yn gwenu'n hyll arna'i a thyllau yn lle llgadau gynni hi, a gweld muriau gwyngalch Garrag Elin yn stremps duon a'r to wedi sigo i mewn i'r tŷ a'r ffenestri'n chwilfriw ac ogla parddu llaith drwy'r lle a'r drws ffrynt yn hongian gerfydd un bachyn a'r mwg wedi duo'r golchi ar y lein ddillad tu allan a dim golwg o neb yn unlla a finna'n cau fy llgadau'n dynn ac yn troi mewn nos ddi-sêr ac yn hiraethu am dy freichiau di amdana'i ac yn difaru na fasat ti wedi cael gwybod y gwir.

Ond dydd ges i'n chwalu drosta'i a finna'n chwyrlïo'n chwil drwy'r entrychion a dyma ruthr o sŵn rhwygo a thynfa rymus ac oeddwn i'n ista'n siglo'n braf yn fy sedd ddianc yn suddo am i lawr â pharasiwt mawr uwch fy mhen i'n crogi fel ymbarél. Peth cynta welis i oedd y bryniau cochion a finna'n gwasgu'r botwm cyfeirio ar fraich fy sedd a chyfeirio'r parasiwt am y chwith tuag atyn nhw. Mi fuo lwc imi neud hynny hefyd achos tu ôl i'r bryniau'r ochor arall lle'r aeth y peiriant i lawr dwi'n siŵr oedd y Cyrff heb Enaid yn cuddio'n gwitsiad amdanon ni. Ond siglo drwy'r awyr yn braf oeddwn i a neb yn saethu ataf fi a finna'n fyw ac yn meddwl 'lle mae'r Pererin Byd yna eto' ac yn dychryn na welwn i mohono fo ac yn meddwl 'Mi ddaw i'r golwg yn y munud'. A finna'n clwad rhwbath yn pwyso ar fy nghôl ac yn gweld sach gerrig Pererin Byd wedi ei gwthio'n dwt o dan fy ngwregys cadw a finna'n gostwng fy mhen ar fy mrest ac yn gweld dim byd ond y sach.

'Pererin Byd bach,' meddwn i'n uchal drosodd a drosodd nes o'n i jest â drysu'n clwad ei enw o yn fy nghlustiau i a'r tir yn dŵad yn nes a'r sedd yn symud yn yr awal godi a finna'n goro canolbwyntio ar ei glanio hi a hitha'n declyn anhydrin a finna heb arfar. Cors ddaru ni lanio yni hi yn diwadd hefyd a toedd waeth inni hynny ddim a damia finna am ddeud ni a ninna a finna ar fy mhen fy hun. Fedrwn i'm hel run syniad call i 'mhen dim ond meddwl am Pererin Byd bach ac am ei gelc o gerrig ac amdano fo'n cael cweir gin Llwch Dan Draed brwnt a finna wedyn yn achub ei gam. Beichio crio wnes i wedyn yn meddwl amdano fo'n bedwar aelod a phen ym môn rhyw glawdd a'r morgrug yn dew drosto fo. 'Pam na fasat ti 'di mynd dy hun fel deudis i wrthat ti, Pererin Byd, yn lle gwasgu 'motwm i?' A dyma fi'n sbio o 'nghwmpas a gweld y gors yng ngodra'r bryniau cochion a'r anialwch am a welat ti a'r fulturiaid yn troi uwchben a phenderfynu, 'Be wnaet ti mewn lle fel hyn, Pererin Byd?' A finna'n meddwl amdano fo'n atab ac yn deud, 'Fyddwn i hefo chdi, Gwern' a dyma finna'n deud, 'A hefo fi fyddi di hefyd fy ngwas i, tra bydda'i' ac mi luchis i'r sedd awyr oddi wrtha'i a chamu o'r gors am y bryniau draw.

Dwn i ddim a'i i sôn lawar am y daith o'r gors i'r bryniau achos mi fasa'n faith a sgin i fawr o becynnau ynni. Cystal deud, mae'n siŵr, iddi fod yn wythnosau a'r rheini'n wythnosau hegar. Mi allat fentro dy ben 'u bod nhw. Rargol, toeddwn i ynghanol Gwlad Alltud a brwydyr goch o 'nghwmpas i i fod. Welis i wedyn nad oeddwn i ddim yn llygad ei chanol hi, a deud gwir, ond ar y cyrion lle mae'r anialwch yn cilio i'r bryniau cochion a heibio'r rheini wedyn fryniau coediog hefo ffrydiau gwynion yn eu sianelau. Cerddad ddaru fi, filltiroedd. 'Nhraed i fel swigod gwynt a 'nghoesau fi'n gleisiau gelanadd drostyn nhw, rheini'n gwllwng o'r coed am dy ben di'n cysgu ac yn deffro dim arnach di a nhwtha'n sugno dy waed. Ond fyddwn i'n meddwl am Pererin Byd ac yn deud, 'Mi dwi am fyw' ac mi gymerwn y ffrwyn ar fy ngwar a bustachu 'mlaen. Cyrradd bwthyn meudwy wnes i yng ngwaelod y pant lle mae'r dŵr yn loyw o'r sianelau'n troi hen olwyn ddŵr. Mi allwn frygawthan Alltudeg ddigon i guddio'n acan ac mi raffais ryw glwyddau wrth yr hen feudwy a chael wy ar dost gynno fo a ffeirio fy nillad heddgeidwad awyr am ddillad taeog. Oedd hwn heb glwad am y rhyfal, rhad arno, nac yn gwybod lle'r oedd Tir Bach a ges i groeso ganddo fo a'i gath.

Dipyn o bregethwr oedd o a finna'n goro aros ar fy nhraed tan berfeddion yn gwrando arno fo.

'Pechadur wyt ti!' medda fo wrtha'i a gwthio'i fys cnotiog i 'mrest i.

'Wn i, peidiwch â rhoi halan yn y briw,' meddwn inna'n methu dallt sut oedd fy hanas i wedi mynd o fy mlaen.

'Pechadur ydwyf innau!' medda fo'n ei guro'i hun ar ei frest. 'Y fi ydi'r pechadur mwya gerddodd wynab haul daear erioed!'

'Dyna pam dach chi'n goro byw fan hyn a neb isio'ch nabod chi?'

'O'r saith pechod marwol fe gyflawnais i wyth,' medda fo. 'Ac a finna'n meddwl fy mod i'n dŵad at Dduw, mi fydd Duw yn symud oddi wrtha'i fel petai ogla ar fy ngwynt i. Mae Pangwr Wen yma'n fwy bucheddol na fi blaw ei bod hi'n llgotrag anobeithiol.'

'Be'n union wnaethoch chi i haeddu hyn?' meddwn inna'n chwilfrydig ynglŷn â chyfraith Gwlad Alltud.

'Gwneud?' medda fo. 'Wneuthum i ddim byd. Meddwl am bethau anllad fydda'i. Dyna'r pechod gwaetha un gin i. Fyddi di?'

'Fydda'i be?'

'Yn meddwl am bethau anllad?'

'Dos o'ma'r sglyfath,' meddwn inna'n hel ei hen fachau oddi arna'i.

'Mi gei di fy nghosbi fory,' medda fo. 'Mae hi'n hwyr. Tyd i'r gwely.'

'Mi fydda'i'n iawn yn y cwt, feudwy,' meddwn inna ac mi es am fy mywyd a'm cloi fy hunan i mewn hefo coes brwsh.

Fuodd raid imi adal ben bora trannoeth cyn i'r meudwy godi achos 'mod i'n siŵr y deuai'r Cyrff heb Enaid i chwilio'r fro amdana'i i fy arteithio a'm lladd ac mi oedd gin inna amgenach syniadau. A wir ichdi, mi wnes i gystal taeog Alltud â neb a medru cardota drwy'u gwlad nhw'n gwatsiad yr awyr yn agor uwch eu pennau nhw, weithiau hefo taflegrau ac weithiau hefo glaw. Doedd gin i uffar o ddim byd yn eu herbyn nhw fel pobol ond mi wyddwn fasa fiw iddyn nhw wybod pwy o'n i. Pledio'n dwp fyddwn i a medru tynnu llaw dros ben amal i Goleiath chwyrn.

Aros oeddwn i yng Nghoedwig Schadenfreude mewn tŷ gwair yn perthyn i hen goedwigwr yn ymyl rhyd sgota rhyw bentra ar gwr y coed, paid â gofyn sut mae ynganu'r enw, a finna wedi cael lle da gin yr hen goedwigwr i gario'r grawn i'r felin a'r ferch a finna wedi dechra dŵad i nabod yn gilydd a'r fam yn glên hefo fi a bob dim yn iawn ac oeddwn i wrth fy modd yn meddwl yr arhoswn i yno am sbelan ac anghofio pob dim am Tir Bach a Pererin Byd a Llawr Gwlad a hyd yn oed chditha, Anwes Bach y Galon, a throi'n Alltudwr fel gwnaeth Sam Atab o'r Betws gynt pan aeth o'n gasglwr tocynnau i Orsaf Rawsman II, ond pwy ddyliat ti gyrhaeddodd i ddryllio pob dim? Tincar Saffrwm a'i fulod.

Allan ar y buarth oeddwn i'n llwytho tail o ferfa i ben doman a dyma fynta fel huddyg i botas yn llenwi'r buarth hefo'i fulod. 'Tyd rownd i gefn y beudy'r uffar gwallgo,' meddwn i wedi dychryn rhag iddyn nhw weld 'mod i'n nabod o. 'A deud wrth yr anifeiliaid yma ddŵad hefo chdi!'

'Pethau ddim yn grêt, ddim yn dda iawn chwaith,' meddai Tincar Saffrwm. 'Colli Pererin Byd. Colli Gwern Esgus. Ddim rhy dda. Ddim rhy wych cofia.'

'Be wyt ti'n mwydro'r afanc lloerig. Paid â siarad fel'na. Yli, fi sy 'ma, Gwern! Ond defnyddia'r llysenw, Hau'ab Schmutztuck tra byddi di yma.'

'Y ti wyt ti, Hau'ab Schmutztuck,' meddai Tincar Saffrwm yn neidio oddi ar gefn ei ful. 'Lle mae Pererin Byd? Ydi o yma?'

'Nacdi mae o'n llwch.'

'Chditha'n cael byw . . . yli, yma'n chwilio amdanoch chi yn rhith dyn call ydwi felly tyd, brysia ar gefn y mul agosa.'

'Faint o fulod ddoist ti?'

'Digon. Tyd.'

'Oeddwn i reit fodlon yma cyn ichdi gyrradd,' meddwn inna ddim yn licio'i agwadd o.

'Isio cuddiad yma i bydru wyt ti a meddwl y gelli di gladdu dy ben yn y doman dail acw? Cuddia di yma 'ta, faer biswail. Ond fedri di ddim cuddio rhag dy ffawd.'

'Mi fedraf drio os dwisio!'

'Mi a'i o 'ngho os na ddoi di,' medda fynta. 'Dewis ful!'

'Unrhyw beth ond hynna,' meddwn inna a 'nghalon i'n suddo. 'Tyd â'r un coch yna imi 'ta.'

'Be 'di'r holl sŵn yma?' gwaeddodd yr hen goedwigwr yn brasgamu tuag aton ni.

'A, bora da i chitha eto!' meddwn inna. 'Hem, fy nghyfaill Bettenhauen yma sydd wedi dŵad i'm hatgoffa fy mod wedi trefnu i fynd hefo fo heddiw i Ddinas Entwürdigung, ond roeddwn i mor brysur yn rhofio tail fel imi anghofio pob dim amdano fo. Mi wela'i chi heno, ac mi weithia'i drwy nos i wneud iawn am pnawn 'ma.'

'Dinas Entwürdigung. Deu, ewch chi yno ac yn ôl mewn pnawn dwch?'

'Dim traffarth, ylwch fulod sgynnon ni,' meddai Tincar Saffrwm.

'Acan ryfadd,' meddai'r hen goedwigwr.

'Acan Schopfer Wohlgefallt,' meddai Tincar Saffrwm. 'Fenthycis i hi gynno fo. Tyd, Hau'ab Schmutztuck, neu yma fyddwn ni.'

Tystiolaeth Saith "''''' yn dilyn . . .

Hanas y rhyfal ges i wedyn gin Tincar Saffrwm, fel oedd pethau'n mynd o chwith un munud ac yn gwawrio eto ar gyfnod newydd munud nesa. A hyd bob cyfnod wedi ei gyfyngu i chwartar awr i arbad mân siarad, medda fo. Y Winllan Fawr wedi tynnu'n ôl munud ola wedi cael gwell cynnig a Baratîr heb droi i fyny, ond y Winllan Bridd a Hirynys yn sefyll yn y bwlch hefo Tir Bach a Llawr Gwlad, Haf heb Haul, y Tiroedd Gwyllt a Gaea Mawr.

'Clamp o fwlch, mae'n rhaid,' meddwn inna. 'Ond choelia'i fawr fod Gaea Mawr wedi ymuno. Wyt ti'n gweld y Corachod Duon yna'n fodlon helpu?'

'Ti'n iawn, ddrwg gin i, ond mae'r lleill wedi ymuno ac mae gynnon ni siawns rŵan.'

'Fuest ti'n hir yn chwilio amdanon . . . amdana'i?'

'Ers faint wyt ti ar goll yn y wlad yma?' medda fynta'n atab. 'Cofia, hefo'r cysylltiadau sgin i,' medda fo wedyn a hitha'n blesar gin i 'i glwad o'n geirio'n ddilyffethair, 'mi laswn bobi cawl bysadd y cŵn cyn delo'r wawr.'

'Deud yn iawn, Tincar, mae o ynot ti.'

'Paid â disgwyl gormod gynna'i, Gwern. Stida'r mul 'na a brysia. Am y boncan â ni yn y ceunant islaw ma hannar catrawd Ffin Tra, gwŷr traed o luoedd Goneiri'n Borlat Hirynys.'

'Sut gwyddost ti?'

'Hefo nhw dois i yndê. Mi gawn lochas gynnyn nhw a mynd yn 'u sgil nhw i Llawr Gwlad lle mae Tami Ngralat yn aros amdana'i.'

'Be wyt ti'n dŵad â hi i le peryg felly'r ynfytyn?'

'Lle ddim yn beryg siŵr. Rhyfal technoleg newydd ydi hwn, faint o olion rhyfal welist ti yng Nghoedwig Schadenfreude hefo'r hen goedwigwr yna a'i deulu?'

'Dim,' meddwn inna'n syrthio ar fy mai, 'ond eu bod nhw'n ei wylio fo ar y teledu bob nos ac yn curo dwylo pan fydda hogia ni'n cael chwip din.'

'Taeogion,' meddai Tincar Saffrwm yn poeri stribad hir o boer baco brown ar hyd coes ei drwsus. 'Damia unwaith, mi ca'i hi gin Tami Ngralat rŵan,' medda fo'n trio sychu'r staen. Ond oedd pennau gwynion pebyll Goneiri'n Borlat yn dŵad i'r golwg dros y boncan a chymis i ddim mwy o sylw ohono fo.

'Lateion rhyfal Triw fel Nos! Croeso!' meddai Goneiri'n Borlat yn dŵad o'i baball i'n croesawu ni. 'Dowch i mewn i gael gwlychu min.'

Mi ddyliat na tywysogion oeddan ni o'r croeso gawson ni a'r potshîn rwdins yn llifo a bob dim gora oedd gynno fo i'w gynnig ar blât o'n blaenau ni: tatws.

'Cymerwch un arall da chi,' meddai Goneiri'n Borlat. 'Dowch, claddwch nhw!'

'Dim ond un arall 'ta,' meddwn inna'n trio stwffio tysan bach i gornal fy ngheg ac yn gneud run fath i Tincar Saffrwm.

'Nngggww nggwww nggaaa,' meddai hwnnw.

'Mae'n ddrwg gin i glwad am Pererin Byd,' meddai Goneiri'n Borlat toc. 'Rhoid ei fywyd i achub ei feistr, deu, fasach chi ddim yn cael hynna heddiw nafsach?'

'Yli, mae'n ddrwg gin inna tydi,' meddwn inna, 'toeddwn i'm isio iddo fo'n achub i. Ond mi wnaeth a dyna fo a'r hyn sy'n fy nghorddi i ydi 'mod i wedi'i bechu o a heb ddeud mae'n ddrwg gin i, ond mi faddeuodd imi neu faswn i ddim yma felly cau di dy geg Goneiri'n Borlat a meindia dy fusnas!'

‘A dim ond chydig fisoedd sydd hefyd y twmffat Hirynys hannar call ichdi,’ meddai Tincar Saffrwm yn dechra cael gwyllt.

‘Dowch, yfwch,’ meddai Goneiri’n Borlat heb falio botwm. ‘Tyd rŵan, Tincar Saffrwm, inni gael potelad arall.’

Noson fawr wnaeth hi hefyd a’r bora’n glasu a ninna’n dal wrthi’n rhoid y byd yn ei le. Mi eglurodd holl strategaeth y rhyfal inni a thynnu lluniau a sticio pinnau i fapiau a dangos inni’n union pam oeddan ni’n colli. Diawl, mi faswn wrth fy modd tawn i’n cofio hannar y pethau ddeudodd o wrthan ni. Colli mynadd wnaeth Tincar Saffrwm a dechra rhochian cysgu yn ei gadar galad. Finna’n glustiau i gyd yn gwrando hanas Catrawd Ffin Tra ysgwydd yn ysgwydd hefo lluoedd Talcan Creigia ar eu llydnod hynod yn ailgipio bwlch Slif Oen ac yn ei ddal am saith niwrnod a chwe noson a Befehlnotstand ei hunan yn goro dŵad o Gastall Entwürdigung i arwain y gwrthymosod cyn sbydu lluoedd y gynghrair.

Ac yn deud wedyn am gyrchoedd awyr Lloerig Hunlla a’r taflegrau’n disgyn fel cenllysg o’r awyr a dyna’r unig beth oedd rhwng y gynghrair rŵan a byd y Cyrff heb Enaid.

Ac fel oedd Llwch Dan Draed wedi arwain cant o wŷr traed dan Gwyn Beryg Gaptan ac fel oeddan nhw, a nhwtha yn Gaea Mawr, wedi cael eu herlid gin Locustiaid Rhew’r Corachod Duon a bod Llwch Dan Draed wedi methu gneud cymod hefo’r Corachod Duon ac wedi goro dychwelyd i Tir Bach yn ei fest a’i drôns a hannar ei ddynion wedi mynd dros ben dibyn a Triw fel Nos wedi’i ddiarddal ac yn galw am dywysog newydd.

'Ac wedi gyrru'r gair allan ar gyrn a phedyll,' meddai Goneiri'n Borlat, 'dan sêl Ceidwad yr Atab, dy fod ti i ddychwelyd i Tir Bach i gael trio Dôr yr Atab.'

'Fedra'i ddim mynd,' meddwn inna'n dechra blorio'n chwil, 'achos mae gin i heyrn erill yn y tân.'

Mynd i'w wely wnaeth Goneiri'n Borlat wedyn a 'ngadal i i bendwmpian ac i orffan stwmp y botal.

Cachiad nico wedyn dyma gorn y gatrawd yn canu a Tincar Saffrwm ar ei draed a'i gledar at ei arlais yn sefyll fel sowldiwr.

'Sowldiwr ydw i rŵan,' medda fo. 'Ma gin i streips i'w brofi o hefyd, sbia, cwyd fy nghrys i sna ti'n 'y nghoelio i.'

'Am be gest ti'r rheina?' holis inna'n rhwbio fy llgadau.

'Dwyn blawd o storfa Nabac Leis yng ngwersyll Cwm Angho cyn inni gyrradd Gwlad Alltud. Ond mi wnaeth fyd o les i 'mhen i cofia.'

Roedd yr hogiau'n tynnu'r baball o'n cwmpas ni erbyn hyn ac yn cludo gwely Goneiri'n Borlat i'w drol a fynta'n cysgu fel babi blwydd ynghanol ei blu.

'Chdi a dy ryfal technoleg,' meddwn i'n floesg wrth Tincar Saffrwm. 'Welis i fawr o dechnoleg yn y gwersyll yma myn uffar i.'

'Toes yna ddim fan hyn ar lawr,' meddai Tincar Saffrwm. 'Wyt ti 'di methu prif ac unig bwynt holl falu awyr diddiwadd Goneiri'n Borlat neithiwr felly. Ha, ha, ha! Un gwirion fatha fi'n dallt a chditha â dy ben yn y cwmwl yn gweld dim byd ond niwl.'

'Oeddwn i wedi dallt siŵr. Dim ond dy brofi di oeddwn i. Dim unedau ynni sydd yna ar ôl i'r rhai ar lawr, dyna ydio yndê? Ond mae gynnyn nhw ddigon ar ôl yn Tir Bach neu fasa'r peiriannau heddwch ddim yn dal i fflio nafsan.'

'Diolch a da boch, cyn beilot awyr,' meddai Tincar Saffrwm yn daffod awenau'r mul o'r stanc. 'A croeso atom, farchog mulod. Cyfod i gefn dy ful a sobra.'

Lladdfa o daith yn ymlusgo i nunlla am byth oedd hi hefyd. A bob noson Goneiri'n Borlat wrth ei fodd yn cael yn cwmpeini ni'n meddwl yn bod ni'n fyddigions. Wel mae Tincar Saffrwm yn rhyw fath ar uchelwr rŵan, tydi, a fynta'n ŵr i chwaer y Tywysog Goneiri'n Borlat? A heb ddeud wrth neb am Mrs Saffrwm a'r sgandal pan laddodd o hi a toeddwn inna ddim am ddeud chwaith achos wydda fo ddim 'mod i'n gwybod.

Goneiri'n Borlat bob trannoeth y bora yn mynd i'w wely ac yn cael ei gludo a finna'n goro trio ista am ben y mul a'r hen Tincar Saffrwm ynta, hwnnw'n mabwysiadu'r dechnag farchogaeth unigryw iddo fo'i hun a elwir 'cyfrwy' ac yn cael ei glymu'n ddiseremoni am gefn y mul i gael cysgu'r dydd yn breuddwydio pethau rhyfadd.

Dirwyn drwy'r llaid rhwng gwrychoedd coed drain duon wnaethon ni, stribad hir 'dat eu fferau mewn llaid o Hirynyswyr crysagorad yn trio martsio ac wedyn trol Goneiri'n Borlat a'i wely glapsam yn dynn yn ei gwaelod a fynta'n troi a throsi hefo pob pwll a charrag.

Ninna wedyn, Tincar Saffrwm a finna ar gefn ein mulod, y fo'n cysgu ar ei fol a finna'n cysgu ar bennau 'nhraed os gelli di wneud hynny'n pendwmpian ar gefn mul. Mulod sbâr Tincar Saffrwm wedyn yn cloi'r fintai. O do, mi gafodd yr hogiau gynnig pàs ar y mulod. Sie dy Fahy o Cinal Swgrych atebodd dros bawb. 'Gwerinos dlawd sy'n codi ar gefn mulod, be wyt ti'n feddwl ydan ni! Gwyrda o linach Wi Lasort ydan ni! Cadw dy blydi mulod, mi gerddwn ninna!'

Bryniau gwantan o boptu inni'n difetha'r olygfa hefo'u llwch du drostyn nhw a dim da'n deillio ohonyn nhw nelo'r cudynnau o fwg oedd yn codi fel canhwyllau cyrff o'r tyllau yma a thraw.

Ymlaen â ni, ac ymlaen, ac ymlaen. Roedd y bryniau o dipyn i beth yn twchu ac yn llenwi a'r cymylau'n ymfeichiogi a'r cawodydd pitw'n cynyddu beunydd nes oeddan nhw fel dŵr o stwc am ein pennau ni. Fyddwn ni fawr eto cyn cyrradd Llawr Gwlad, meddwn i wrthyf f'hun ac am y tro cynta'n gweld creaduriaid byw erill hyd lle blaw ni. Malwan i ddechra wedyn llyffant glas, a dwy llgodan bach ac wedyn tair o rai mawr a lle bynnag fydda 'na goed mi welwn i hen frân dena'n rhy wan i grawcian.

'Tincar, Tincar, deffra!' gweiddis i pan welis i ddafad yn pori ar glwt o borfa. Ddeffrodd y diawl ddim.

Oedd Llawr Gwlad run fath ag arfar ar ôl inni gyrradd ond fod rhai pethau wedi newid. Diolch bod y cwffio wedi bod mewn llefydd cadarnach ddylis i. Ond mae'n siŵr fod y rhyfal yn dŵad drwy'r teledu i Llawr Gwlad hefyd achos oedd y bobol yn eu cragan braidd. Oeddwn i wedi hen ymddihatru fy hun oddi wrth sbarion Catrawd Ffin Tra erbyn hyn ac wedi deud wrth Tincar Saffrwm y byddwn i'n siŵr o alw i'w weld o a Tami Ngralat yn y Bwlch pan gawn i gyfla : 'Mae gin i le da yna wedi cadw tŷ ha dros gaea ac mae Tami Ngralat yna i baratoi panad inni fel dan ni'n licio hefo jochiad o ddŵr y fuchadd yn ei llygad hi.'

'Cadw botelad erbyn do'i,' meddwn inna ac ysgwyd ei law o.

Y peth mwya oedd wedi newid oedd y ffyrdd. Cyrradd y ffordd bost a dim ceir, dim ond pobol ar gefn mulod neu feics. Y cyflenfaoedd ynni i gyd ar gau. Mi gaet chwech o geir am un beic. Ac mi gaet feic a siwt o ddillad am un mul a dyna be gymeris i, beic mawr du a siwt gapal, a'r mul yn troi'i ben i sbio arna'i'n mynd. Well ichdi feic na mul i gael dy dderbyn yn y gymdogaeth, achos fedri di ddim byta beic. Mynd linc di lonc hyd lonydd cefn gwlad wnes i wedyn a golwg Llawr Gwlad ar fy ngwynab i a dillad parch amdanaf fi a ches i ddim byd ond 'Bora braf' a 'Mynd yn bell?' gin bawb.

Toedd gin i'm ofn yn Llawr Gwlad. O'n i wedi bod ofn drwy 'nhin ac allan yn Gwlad Alltud a hyd yn oed 'chydig yn nhyddyn y coedwigwr ond mi ddoth gollyngdod i 'nghalon yn Llawr Gwlad a finna'n rhydd ar gefn fy meic i grwydro i rwla liciwn i a neb yn fy nabod yn fy nillad dydd Sul.

'Tydwi'n nabod pob llwyn a pherth o fewn dwy filltir i Dre'cw? Mi wyddwn fod Trwynpiws Ffridd yn rhy ddiog i hel ei fuchas tan ar ôl caniad rhyddid deg felly fan'no'r es i i fwrw'r nos. Tŷ gwair blêr sgynno fo hefyd a'r glaw yn dŵad fel tywod berwi wyau drwy dyllau'r to. 'Mi a'i i sgubor Sam Atal Bryn Oerfa tro nesa,' benderfynis i, 'un taclus ydi hwnnw.'

Rowlio 'meic i lawr y lôn wedyn a'r cymylau wedi chwalu a'r sêr yn diffodd a'r ji-binc a'r dryw ac adar mân erill y gaea run fath â nhw'n dechra trydar yn y coed a mwsog ben wal fel cefn siani flewog ond yn bigog hefo barrug o dan fy llaw. Neb wedi codi'n unlla a dim mwg o simneiau'r tai a chopaon y moelydd yn gwitsiad i gael eu gwynnu gan yr haul.

Rois i'r beic dan swp o redyn crin ym mol clawdd talar bella Talcan Eithin a'i gneud hi ar draws gwlad dros ben waliau.

Erbyn cyrradd giât lôn Garrag Elin roedd yr eira'n dechra llathru o'r copaon a'r haul yn tynnu'r llen oddi amdanyn nhw'n ara deg ac roedd coed y gelli'n oer yn eu noethni a'r brigau'n clecian dan fy nhroed. Y brain rŵan yn dechra anesmwytho ac yn fy nwrdio fi am eu deffro nhw a finna'n stopio'n stond i sbio'n hurt ar goed y berllan ar eu hochrau yn gorfadd ar draws y llwybyr. Es i heibio iddyn nhw drwy'r rhoncwellt a hwnnw fel plisgyn wy dan fy nhraed a gweld llond yr afon o ryw sbarion dodrafn a pheiriannau a phydradd dail a dafad ar ei hyd a'i chnu hi'n mynd fesul tipyn bach hefo'r dŵr a'i cheg hi'n rhythu'n safn a'i thyllau llgadau dall hi'n dduon a finna'n rhedag ac yn baglu heibio'r tro i Garrag Elin. 'Anwes,' gweiddis i'n gweld y llysnafadd du wedi chwydu o'r ffenestri a'r estyll to fel esgyrn cwch a'r drws ar un cetyn a'r parddu'n dal i fudlosgi'n ddrewllyd ac yn llifo'n ddistaw o'r tulathau a'i liw o wedi mynd ar sgerbydau'r dillad ar lein a'r rheini'n llac fel lladron yn crogi a finna'n gweiddi eto 'Anwes' a neb ond y brain yn chwerthin atab.

Es i lawr ar fy mhennau gliniau a dyrnu'r llawr a rhegi'r dydd y dois i'n ôl ond mi ges nerth o rwla i godi a gwthio'r drws ar ei fachyn rhydd a'r huddyg yn diferu am fy mhen i a finna'n camu i'r gragan farw.

Mi wyddwn lle i chwilio. A dan garrag yr aelwyd y ces i hyd i'r nodyn.

'Aros amdanat yng Nghastell Entwürdigung. Anwes.'

'Ydyn nhw am drio hynna arnaf fi yndyn?' gweiddis inna'n gwybod llaw pwy oedd ar y papur. 'Siffrwd Helyg, y gnawas!'

O leia mi wyddwn wedyn. Wnes i ddim byd ond hel blaen ffon drwy'r rwbal a chodi peth o'r nialwch i'n llaw i gael gweld be oedd yna. Ges i hyd i esgid i Calonnog a honno wedi ei deifio ac i froets aur i chdi a'r pin wedi torri arni ac ar bigau'r llwyni tu allan mi ges hyd i ryw dameitiach papur hefo dy lawsgrifan di arnyn nhw. Sbarion o dy ddyddiadur ydyn nhw? Toedd yna'r un bejan gyfa yno, y tân wedi deifio'r cwbwl ond am hon gadwis i ac mae hi o 'mlaen i rŵan yn y Bwlch, a'r inc wedi gwynnu ar y papur:

. . . ar fy ngwefus
Ac fe'i clywn o'n felys felys.

Mae 'na ddyffryn yn fy nghalon
Ar ei hyd o mae 'na afon
Coed a dolydd braf o'i deutu
A hen aelwyd wedi chwalu.

Pe cawn eistedd ar ei glannau
A chael gennyt dy gusanau
Byddai'r aelwyd eto'n ddiddan
A 'myd innau eto'n gyfan.

Ond daeth storm a duo'r dyffryn,
Sigo'r coedydd, dryllio'r bwthyn,
Mellt a thranau, glaw ac awel
A'r hen galon bach ar ddymchwel.

Cofio Triw fel Nos wedyn yn deud be oedd ar fy nghalon i, a meddwl be fasa fo wedi'i ddeud amdanat ti, a gweld y bwthyn wedi ei chwalu'n ulw a chlwad fy nghalon i'n cledu y tu mewn imi yn erbyn y rhai wnaeth hyn inni.

Rheini oedd wedi codi erbyn imi gyrradd fy meic, welson nhw mona'i. Lawr Rhiw Hendra â mi wedyn, a'r gwynt am unwaith yn fy nghefn. Cyrhaeddis i'r Bwlch mewn chwipiad chwannan wedyn ac agor drws cyn gweiddi, 'Oes 'ma bobol?' a dal Tincar Saffrwm yn ei ffedog yn paratoi brecwast i Mrs Tami Ngralat-Saffrwm.

'O, su'mai Gwern,' meddai Tincar Saffrwm yn clymu'i ffedog yn ôl amdano.

'Lle mae 'mrecwast i, Tincar Saffrwm?' gwaeddodd y Dywysogas Tami Ngralat-Saffrwm o'r llofft a hitha'n deffro.

'Gneud brecwast i dri dwi rŵan, berllan annwyl. Mae Gwern Esgus wedi cyrradd!'

'Wel can croeso ichdi, 'mach i,' medda hitha'n neidio o'r llofft a chlamp o gusan glec imi ar fy moch.

'Ddaw y minlliw yna ddim i ffwrdd,' meddai Tincar Saffrwm yn llwm.

'Cau hi a tyd â'r coffi at y bwrdd y llymbar,' medda hitha'n sodro clun ar fainc ac yn dechra fy holi i.

Peth braf ydi cael dy holi gin rywun wyt ti'n nabod yn dda. Ond fedra'i ddim deud 'mod i'n ei nabod hi achos un waith o'r blaen o'n i wedi siarad hefo hi yn nhafarn Bas le Tart hefo'i brawd Goneiri'n Borlat a'r hogia ac . . . ond wedyn oeddwn i'n teimlo 'mod i'n ei nabod hi hefyd a hitha'n sbio ar y llanast yn fy nghalon i ac yn deud, 'Dyna fo, 'ngwas i. Rhaid ichdi ddim beio dy hun bob tro sti. Sbia arnaf fi hefo'r Tincar Saffrwm yma', a hwnnw'n sefyll yna'n trio gradellu wystrys ac yn llosgi'i drwyn hefo gwreichion saim. Diawl o bwys gynni hi siarad yn blaen o'i flaen o. Nacdi yn Duw. Roedd hwnnw'n saff o fod yn ei nabod hi ne fasa fo heb ei phriodi hi, dyna ddylis i.

Un da ydi Tincar Saffrwm yn ei ffedog ffrils yn chwyrlïo hyd llawr hefo platiad o frecwast ym mhob llaw'n canu Stafall Cynddylan a'i drwyn o'n sgleinio'n biws.

'Dwi'n well o lawar rŵan diolch ichi, Dywysogas Tami Ngralat-Saffrwm,' meddwn i.

'Galw Ta arna'i, 'ngwas i, mae o'n llai ffurfiol,' medda hitha'n twallt panad arall o goffi imi.

Ges i 'nghefn ata'n weddol yn nhŷ'r Saffrwmiaid, do'n tad i. Ches i'm amsar i hel meddyliau a nacw'n eu hel nhw'n barod ar 'y nghyfar i ac yn eu pledu nhw ata'i fesul un a finna'n eu llyncu'n ddihalan.

'Felly am gastall Rawsman yr ei di ia?' gofynnodd hi un bora gwyn yn rhoid ei chwpan ar y sosar. 'I Gastall Entwürdigung yr ei di, fy mach i?'

'Wel ia, mae'n siŵr na ar fy ffordd i fan'no'r ydwi,' meddwn inna mor swrth â Tincar Saffrwm.

'Wel os mynd mynd,' gwaeddodd hitha'n codi'i chwpan at ei cheg. 'A cher â 'mendith inna hefo chdi,'ngwas i. Rhwydd hynt.'

Be fedrwn i wneud ond codi llaw arnyn nhw'n sefyll yn giât lôn a 'meic i'n siglo.

Roeddwn i ynghanol nunlla heb fap yn chwilio am dyddyn y coedwigwr a finna wedi cyrradd Gwlad Alltud. Sipsiwn gofod o'r Llaeth Dan Haul ddaru'n achub i tasach chi'n coelio'r straeon glywis i wedyn, ond nid felly buodd hi go iawn! Bôn coes a bôn braich a beic odana'i ddaru gadw 'nghroen i'n iach a dim arall, ddyffeia'i neb. Llechwrus fues i yndê. Toeddwn i ddim am godi 'mhen rhy uchal yn Gwlad Alltud. Ges i'n lle yn ôl gin yr hen goedwigwr. 'Gwyliau yn Ninas Entwürdigung, deu a braf hefyd,' meddwn i a nhwtha'n gofyn lle ddoth y beic.

'Cannodd ohonyn nhw yna,' meddwn inna'n cnesu iddi. 'Mae'r lle'n berwi hefo nhw. Choeliech chi byth! Cyfoethog ydyn nhw yna, o myn diawl, welsoch chi rioed ffasiwn ryfeddodau! Ylwch be sy'n treiglo'n sbwrial drwy'u cwterydd nhw' a finna'n dangos un o gerrig cochion Pererin Byd dlawd a fynta'r hen goedwigwr yn agor ei llgadau fatha tasa fo am ei llyncu. 'Cym hi, dwn i'm be 'di'i gwerth hi ffordd hyn,' meddwn inna'n ddidaro. 'Rhad fel baw o lle dwi'n dŵad.'

'Fonheddwr!' gwaeddodd yr hen goedwigwr. 'Un o Ddinas Entwürdigung wyt . . . sorri, ydych! Hyfryd fora!'

'Rŵan ydach chi'n sylwi?' meddwn inna'n llaesu dwylo. 'Gyda llaw, be ydi dy enw di?'

'Hen Goedwigwr, syr. A dyma'r wraig, syr, mi fasa'n hoffi cusanu'ch esgid chi.'

'Gwraig Hen Goedwigwr ydi'i henw hi mae'n debyg,' meddwn inna.

'Ia, syr. Deu, mi liciwn inna taswn i 'di cael colag a bod yn sglaig fatha chitha.'

'Wel chest ti ddim a twyt ti ddim,' meddwn inna'n gas wrtho fo fel oeddwn i wedi gweld byddigions Gwlad Alltud yn trin eu gweision. 'A chyda llaw, mi dwi'n hawlio'r cwbwl o gynnwys eich bwthyn llwm chi yn enw Rawsman Fawr ac unrhyw beth arall sgynnoch chi o werth a'ch tir chi i gyd hyd saethiad sarth o'r drws!'

'Begio'ch pardwn, "saeth", syr.'

'Pan fydda'i isio dy farn di, daeog, mi a'i i'r tŷ bach i chwilio amdani. Felly jest dos a dechra llwytho'r troliau a byddwch yn barod i ymadael!'

'Ia fol!' meddai Hen Goedwigwr yn cynhyrfu drwyddo a bron hitio'i lygad allan hefo'i fys uwd a finna'n meddwl tybad oedd o'n trio fy sarhau. 'Na,' benderfynis i wedyn. 'Mae'r rhain yn fy mhocad i.'

'Ia fol!' meddwn inna wedyn a chlep i'n sodlau a sylwi nad oedd fflachod Llawr Gwlad ddim yn clepio'n iawn. 'Estyn dy fwtsias lledar gora imi, goedwigwr, a thra byddi wrthi tyd â siwt orau'r teulu imi hefyd. Fedra'i ddim dychwelyd i Ddinas Entwürdigung yn edrych fatha pregethwr. A brysia!'

Hefo chydig o gywrain frodweithio o law Gwraig Hen Goedwigwr mi goeliat mewn dau funud na lifra catrawd y Buchhalter Kommando oedd y siwt a finna'n cydiad mewn pluan gŵydd o het yr hen gwtrin a chymyd yr unig lyfr oedd gynnyn nhw yn tŷ a'i lapio fo mewn papur saim imi gael mynd yn rhith cyfrifydd rhyfal.

'A gwranda,' meddwn i'n dechra ymdeimlo â phwysigrwydd fy swydd, 'geith y ferch aros yma i dendio'r tyddyn ac i warchod buddiannau Rawsman Fawr.' Dyma fi'n meddwl wedyn ac yn deud, 'Ac yn yr oes gynnil hon fiw inni wastraffu ynni felly mi dynna'i blwg Sgrin y Gwifrau i arbad trydan.'

Tystiolaeth Wyth '''' yn dilyn . . .

Rhai da am dynnu beic oedd Hen Goedwigwr a Gwraig Hen Goedwigwr. Digon o waith y bydda swyddog yn y Buchhalter Kommando'n pedalu'i feic ei hun.

Roedd rhain yn coelio go iawn 'mod i ar waith dirgal dros Rawsman ac na dyna pam fyddwn i'n newid fy nghân ym mhob pentra. Swyddog yn y Buchhalter Kommando fyddwn i i bawb ond yn bod ni ar berwyl gwahanol i'r hyn ddwedwyd gynnon ni yn y pentra cynt neu'n bod ni'n dŵad o Ddinas Zigenner neu o Ddinas Heerschau yn hytrach nag o Goedwig Schadenfreude.

Dyna ichdi le ofnadwy ydi Castall Entwürdigung ar fryncyn ynghanol Dinas Entwürdigung ac Afon Häfling yn swrth fel neidar oer am odra'r bryn. Tincar Saffrwm oedd wedi deud wrtha'i am y barcuds yn hofran uwch tyrau'r gaer a finna'n meddwl na gneud hwyl oedd o'n deud eu bod nhw'n deirllath o led eu hesgyll ond oedd o'n wir pob gair. Dwi'n meddwl na'u bwydo nhw hefo cyrff pobol Llawr Gwlad maen nhw neu fasa'r barcuds byth mor ddof ac yn troi'n agos agos uwchben ysgwyddau'r gwylwyr yn martsio o amgylch y tyrau.

'Faint o'r gloch mae'r apwyntiad hefo Rawsman Fawr?' holodd Hen Goedwigwr yn saliwtio wrth ddeud yr arswydwych enw.

'Hidia di befo am hynny,' meddwn inna'n awdurdodol. 'Dwi wedi penderfynu ei weld o fory felly mi fydd rhaid inni gael llety i fwrw'r nos. A dim byd rhad cofia!'

Aeth hwnnw i chwilio am lety a finna a'r beic a'r wraig, Gwraig Hen Goedwigwr yndê, yn difyrru'n hamsar mewn gwindy i gael clwad y clecs lleol i gyd.

Yn anffortunus toedd yna fawr o glecs lleol i'w cael. Amball i 'Be oedd sgôr heno?' a rhywun yn atab 'Cant dim' ac un arall yn holi pwy oedd yn chwara a neb yn atab ond yn dal i studio'u peintiau. Cododd fy nghalon pan ddoth 'na eneth reit drwsiadus yr olwg i mewn ac archebu coctêl amryliw. 'Dowch â chardyn peiriant sigarennau hefyd,' medda hi'n estyn cardyn ynni hannar can uned i'r dyn. 'Rŵan 'ta,' meddylis inna. 'Mi gawn ni wybod rŵan be 'di be.'

'Ar ochor y grisiau fan'na,' meddai dyn y lle. 'Sgin i mond pacedi deg o Melow Sud Nei ar ôl.'

'Tydi hynna ddim yn wladgarol iawn,' medda hitha'n cipio'r cardyn bach o'i law o.

'Deud oeddwn i,' medda fynta, 'ei bod hi'n fraint gen i gyhoeddi fod gen i, drwy haelioni a dewrder Rawsman Fawr, ddigonadd o bacedi deg o Melow Sud Nei.'

'Dyna welliant,' medda hitha a mynd i godi'r ffags.

Ista wedyn yn ffenast heb sbio ar neb. A neb yn sbio arni hitha chwaith. Welis i hi'n fywiocach mewn cnebrwng myn uffar i. Sôn am gael llond bol yn gwitsiad Hen Goedwigwr yn ei ôl ond mi ddoth o rwla'n diwadd diolch byth.

'Lle uffar wyt ti wedi bod tan rŵan?' meddwn inna wedi egluro i ddyn y lle pam nad oeddan ni'n talu ac wedi gneud iddo fo arwyddo yn fy llyfr i ac wedi deud wrtho fo ei fod o'n lwcus na chafodd o mo'i gau lawr gen i ac iddo fo wylio'i dafod i siarad mor fradwrus am sefyllfa'r stoc sigarennau.

'Wedi bod yn trefnu llety,' meddai Hen Goedwigwr.

'Llety wyt ti'n galw hwn?' meddwn inna a ninna'n cyrradd.

'Mae'n dweud "Gorffwysfa" uwchben drws,' meddai'r gwerinwr.

'Wyt ti wedi trefnu'r llofftydd?'

'Cael hyd i'r lle ddeudoch chi, begio'ch pardwn, syr.'

'Yli, stopia alw "syr" arna'i nei di,' meddwn inna'n gacwn gwyllt o 'ngho hefo fo. 'Eich Mawrhydi ydw i i chdi diolch. Ac nid llety mo hwn y twmffat ond tŷ sentars. O, ta waeth, cura'r drws.'

'Eglwys Rawsman ydi'r rhain,' meddai Hen Goedwigwr yn curo'n galad. 'Dyna ydyn nhw i gyd yn dre rŵan. Fy hun, fel gwyddoch, dwi'n dal yn driw i lwybyr Shri Rwpaia ddaeth i lawr mewn olwyn dân a'i chwe cleddyf un ym mhob llaw gynno fo'n chwyrlïo pob dim o'i flaen.'

'Wyt ti wedi bod yn yfad, Hen Goedwigwr?'

'Tropyn yn lyshrennol,' meddai hwnnw'n ddiniwad i gyd ond mi ddaeth ein gwesteiwr am y noson i'r drws ac achub cic yn din iddo fo.

'Beth ddiawl yw ystyr hyn o derfysg?' mynnodd ein gwesteiwr am y noson.

'Uchal Swyddog Hau'ab Schmutztuck o'r Buchhalter Kommando yw ystyr hyn o derfysg, ddinesydd,' meddwn inna'n clepio fy sodlau ac yn codi fy mys uwd at y llygad yn ôl y ddefod. 'Beth ydi dy enw di?'

'Ernst Gewalt yw fy enw. Rhif adwy un ar ddeg un a deugian pedwar ar bymthag ar hugian. Capo yng ngwaith cerrig Harddwyr y Ddinas. Mae'r llyfrau'n agorad ar fy nesg i fyny'r grisiau. Ond dewch, dewch i'r tŷ, mi fydd y wraig wrth ei bodd yn codi i wneud sgram ichi.'

'Sgram?' meddwn inna. 'Neith sgram mo'r tro o gwbwl. Cer i ddeffro'r cigydd imi gael peth o'r cig carw coch yma dwi'n glwad sydd mor dda. A deffra'r dyn siop win tra byddi di wrthi, mae gin i sychad.'

'Ia fol!' medda fynta.

'A dim gair wrth neb,' meddwn inna'n tapio 'nhrwyn. 'Cyfrinachol.'

'Ia fol!' medda fo eto a'i gleuo hi allan.

'A sut ydach chitha, ddinasyddas?' gofynnis i Mrs Gewalt. Dyna'r ffordd i gyfarch rhywun yn Gwlad Alltud, meddan nhw. 'Chdinfanna' fyddwn i'n galw Mrs Hen Goedwigwr a 'Heichditha' fydda Hen Goedwigwr gin i a hynny'n dangos 'mod i'n ddigon pwysig i fod yn hy arnyn nhw a nhwtha'n ei gymyd o fel y cymer oen llywath ei botal. Roeddwn i'n gwybod 'mod i'n hen drwyn trahaus ond dyna fo, chawn i ddim parch gynnyn nhw taswn i'n bod yn glên hefo nhw nachawn. Deu, ac oedd o'n dŵad yn rhwydd gynna'i ar ôl dipyn a finna'n dechra teimlo fatha Llwch Dan Draed cyn ei gwymp. Ond chymerwn i mo 'nghwymp yn Gwlad Alltud, benderfynis i, 'Dwi'm yn gadal i rhain fy nhrechu fi,' meddwn i wrthyf fy hun.

'Ddinesydd Gewalt,' meddwn i ar ôl claddu'r cig carw a'r gwinoedd a'r gwirodydd ac ar ôl i'r ddau daeog fynd i glwydo i'r twll dan grisiau, 'Ddinesydd Gewalt,' meddwn i, 'gadewch imi dy brofi di ar brawf ystol lithrig cyfrifiadureg. Be ddeudist ti oedd dy waith?'

'Capo yng ngwaith cerrig Harddwyr y Ddinas, eich Mawrhydi.'

'Jest galw fi'n "syr",' meddwn i a fynta'n moes-ymgrymu. 'Harddwyr y Ddinas, ia? A faint dros eich cyllidab ydach chi hefo'r gwaith mewn llaw?'

'Codi'r tŵr newydd? O dim ond miliwn uned ynni ar hyn o bryd ond mi eith yn fwy.'

'Mi welaf dy fod yn eitha prisiwr gwaith,' meddwn i. 'Costau ychwanegol hefo'r holl newidiadau?'

'O ia, toes yna ddim byd yn ei phlesio hi. Tydi hi ddim run fath â ni'n tynnu llun bocs du a gwyn ac yn byw yn hwnnw. Mae hon isio'r ffenestri i agor allan ac wedyn ar ôl inni eu gosod nhw mae hi isio iddyn nhw agor i mewn. Y drysau oedd y gwaetha. Glywsoch chi erioed am ddrws yn agor o'r gwaelod? O, na, mi fuodd raid iddi hi drio hynny hyd yn oed cyn iddi dderbyn fy mhwynt i mai swyddogaeth drws ydi llenwi bwlch mewn wal y byddwch rywdro efallai isio mynd drwyddo.'

'Fela welwch chi hefo'r rhai diarth yma,' meddwn inna'n dechra moeli clustiau. 'Gymint o garcharorion estron hyd lle'ma rŵan toes?'

'Oes a gormod hefyd. Rheini sy'n cael y bwyd gora a

ninna'n mynd heb . . . hynny yw, maen nhw'n cael eu cadw'n dda ond ddim fel y ni ddinasyddion yn cael ein diwallu uwchben ein digon. Ond hon, fytith hi ddim byd ond yr hyn sy'n ei phlesio, meddai Ungesttalten Gogydd, a finna'n deud ei bod hi run mor gysetlyd am ddiwyg mewnol ei chell.'

'Merchad,' meddwn inna.

'A'r cnaf bach yna sgynni hi'n chwara yn yn tywod sment ni ac yn gneud llanast, ac mae hwnnw, os gwelwch chi'n dda, yn cael rhedag yn rhydd drwy'r lle fatha gafr ar dranau!'

'Ia wel, diddorol iawn. A gobeithio y gwerthfawrogwch chi'r ymweliad swyddogol yma, mae'n dipyn o fraint ichi. Dwi'n mynd i'ch gwely chi rŵan. Nos dawch.'

'Nos dawch, syr,' meddai Ernst Gewalt.

'Nos da, eich Mawrhydi,' meddai'r Ddinasyddas Gewalt. 'Faint o'r gloch gymerwch chi'r pryd boreuol?'

'Pan ddeffra'i,' meddwn inna o'r grisiau.

Roedd cysgod y castall yn dew o'n cwmpas ni fora trannoeth a finna'n mynd hefo'r Dinesydd Ernst Gewalt i archwilio'r cyfrifon oedd o wedi eu gadal yn gwaith.

'Ddylat ti ddim gadal dim llyfrau gwaith yn y gwaith,' meddwn i wrtho fo'n ei ddwrdio. 'Adra ydi eu lle nhw.'

'Ddrwg gin i,' medda fo. 'Dowch, trwy'r adwy a dan ni yna. Eich rhif adwy i'r blwch ac mi fyddwn i mewn.'

'Wn i bob dim am hynna,' meddwn i. 'Os rho'i fy rhif adwy i mewn mi ddaw pawb i wybod pwy ydwi a fydd fy nirgal ymchwil ar ran Rawsman Fawr ddim yn ddirgal iawn dim mwy, yn nafydd? Bedi dy rif adwy di eto, Ddinesydd Gewalt?'

'Un ar ddeg un a deugian pedwar ar bymthag ar hugian, syr. Ydw i'n dal i gael eich galw'n syr, eich Mawrhydi?'

'Wyt, wyt. Cer o ffor'. Mi a'i i mewn yn dy le di a fory, wyddost ti be wna'i hefo chdi?'

'Na wn i, syr.'

'Mi gei di fynd i mewn yn fy lle i a chyfarfod Rawsman Fawr!'

'Diolch ichi, syr. Mi fydd cinio'n barod erbyn eich dychweliad.'

Es inna i mewn a cherddad yn dalog drwy'r coridorau am chydig fel petawn i'n nabod y lle fel cefn fy llaw ac ar frys i gyrradd rhwla. Toedd yna gannodd o rai run fath â fi? Pawb ar ruthr a'u papurau nhw lond eu breichiau a sŵn hen deipiaduron llaw yn dŵad drw'r drysau o'r swyddfeydd. 'Fedra'i ddim rhedag rownd y lle 'ma fatha ci'n dilyn ei gynffon am byth,' meddwn i wrthyf fy hun a finna ar goll yn braf yn y cwch gwenyn o goridorau a grisiau a chynteddau a swyddfeydd. 'Mae hyn yn waeth na phalas Bara Hati Ymerawdwr myn uffar i, er, mae o'n cael ei gadw'n well.'

Taro 'mhen i mewn i'r swyddfa nesa ddaeth heibio wnes i a'r ysgrifenyddesau'n codi eu pennau ac yn codi ar eu traed a gneud arwydd Gwlad Alltud hefo'r bys uwd.

'Eich Ardderchowgrwydd,' meddan nhw hefo'i gilydd. 'Mae'r bar ar y llawr nesa.'

'Nid y bar ydwi isio,' meddwn i'n tynnu fy menig duon ac yn eu slepian nhw drw 'nwylo. 'Mi dwi'n cael fy ngyrru o bostyn i barad yma'n ceisio dwyn fy neges i ffrwythlondeb. Swyddfa'r Swyddog Cynnal a Chadw ddwedwyd wrtha'i oedd drw'r drws yma.'

'Pawb run fath, syr,' meddai'r flondan yn hy. 'Ers iddyn

nhw dynnu'r sgrins lle 'di lle o'r cynteddau mae pawb ar goll yn lân yma.'

'Wrth gwrs mae ystyriaethau diogelwch yn fwy na hollbwysig, genod. Mi dach chi'n iawn.'

'Mi dach chitha yn llygad ych lle, syr,' medda hitha a dim hawl gynni hi alw 'syr' ar Uchal Swyddog ond wedyn anffurfiol fel yna ydyn nhw yng Nghastall Entwürdigung. 'Swyddfa Bettnachzieher ydach chi isio, ddau lawr ar bymthag i fyny, cynta ar y chwith heibio'r grisiau.'

'Mae'n dda gen i gofnodi nad ydach chi ddim yn awgrymu'r esgynnydd.'

'Byth, syr! Arbad ynni, syr! Beth bynnag, weithiodd o rioed . . . Hynny yw mi rydan ni wedi bod yn arbad ynni arno fo ers y dechra un.'

'Dydd da ichi, ferched, mi eith eich brwdfrydedd i'm hadroddiad.' Deu, oeddwn i'n ei chael hi'n anodd i siarad yn findlws wenieithlyd drwy'r amsar.

A finna'n laddar o chwys mi gyrhaeddis y llawr oeddwn i isio, cael fy ngwynt ataf a churo ar ddrws Bettnach-zieher.

'I mewn,' meddai llais ei ysgrifenyddas o.

'Dydd da i chwithau,' meddwn inna.

'Mae o allan ar fusnas. Mi fydd rhaid ichi ddisgwyl. Wn i ddim pryd daw o. Mae gennym gadair freichiau yn y gornel. Hoffech chi baned?'

'Fydd Bettnachzieher allan yn amal yn ystod oriau gwaith?' holis i o'r gadair a finna'n llymeitian y coffi du.

'Hoffwn i ddim deud, syr.'

'Hoffet ti fynd ar dy ben i'r jêl?'

'Na hoffwn. Fydd o allan yn amlach na fydd o i mewn. "Wedi mynd i'r tŷ bach" fyddwn i'n arfar ddeud nes iddo fo fy nghywiro i. "Allan ar fusnas fydda'i os bydda'i allan," medda fo. "Paid â deud 'mod i wedi mynd i'r tŷ bach, na 'mod i heb godi eto, da'r hogan."'

'Wel fedra'i ddim disgwyl dim rhagor. Yn gyfrinachol, mae nelo hyn â'r tŵr newydd. Rhyw fisdimanars hefo'r cyfrifon.'

'O, chi sy wedi dŵad i gael trefn arnyn nhw? Hen bryd. Wyddoch chi, syr, y prisiau mae'r rheina'n dalu am sment! Mi godwn blasty hefo'i chwartar o!'

'Ydach chi heb ddeud wrth neb am hyn? Gwrandwch, peidiwch chi ag yngan gair wrth neb,' meddwn inna'n lluchio cwpwl o chi a chithas ati.

'Ond mae'r stori'n dew, syr. Diolch byth ych bod chi yma o'r diwadd i gau pen y mwdwl arnyn nhw.'

'Fedra'i aros ddim mymryn mwy. Cyfeiriwch fi at y tŵr newch chi. A dim gair wrth neb 'mod i wedi bod yma. Cyfrinachol!'

Welwn i'r tŵr drwy ffenast risiau'r lloriau ucha a finna wedi dringo saith llawr arall. Hir a phigfain oedd o a golwg y diawl ar y gwaith cerrig. Llenni llaesion gwyrdd-ion yn chwythu ar yr awal drwy'r ffenestri hirion. Banar Gwlad Alltud yn fflio'n hy o'r pin ar y cap plwm ar ben to. Dda gin i mo'r lliwiau coch, gwyn a du yna'n gneud llun croes. 'Disgwyliwch chi,' meddwn i dan fy ngwynt, 'jest disgwyliwch chi, mi gawn ni'r seran wen ar gefndir gwyn ar y polyn 'na yn diwadd.' Finna'n chwerthin am ben fy hurtrwydd yn meddwl am bethau felly. Oddi tana'i dat y gorwal welwn i ddim byd ond toeau tai Dinas Entwürdigung a mwg yn troelli o amball simna. Ches i'm llawar o amsar i werthfawrogi'r olygfa achos mi ddoth ar fy ngwartha fi ddwsin o swyddogion byddin Rawsman a'r rheini'n fodlon eu byd wedi cael cinio da.

'Ho! Ho!' meddai'r un hefo trawswch fel brwsh llawr a

helm bigog am ei ben a rhyw wydyr crwn yn sownd yn ei lygad o. 'Un o'r Buchhalter Kommando! Fyddwch chi ddim yn mentro mor bell â hyn fel arfar!'

'Uchel Swyddog Hau'ab Schmutztuck. Rhif un ar ddeg un a deugian pedwar ar bymthag ar hugian. Dydd da ichi gadfridog Befehlnotstand. A llongyfarchiadau ichi! Dim ond y chi fetsa fod wedi ailgymryd bwlch Slif Oen oddi ar gatrawd, sut ydach chi'n ei ynganu o, "Fine Try"?'

'Ho! Ho! Ho!' meddai Befehlnotstand. 'Dowch, Swyddog Schmutztuck, enciliwn i'r Clwb Smygu, fydd Gwirod y Gwifrau'n cael ei rannu yno tua rŵan.'

Bach o waith oedd nabod y co achos fydda'i wynab o'n harddu dalennau papur sychu Llawr Gwlad a'r negas 'DYMA'R GELYN' ar bob un. Roedd y cyfryw wedi eu dirwyn i ben jest cyn i'r rhyfal ddechra achos fydda dim synnwyr gwylltio Befehlnotstand yn ddianghenraid, cofn inni golli.

'Ymchwilio i'r sment ydach chi mae'n debyg,' meddai Befehlnotstand a ninna'n gyffyrddus yn y Clwb Smygu a sigâr yr un gynnon ni a llond glasiad o Wirod y Gwifrau bob un hefyd.

'Ia 'mysg pethau eraill,' meddwn inna'n gneud yn fach o'r peth. 'Ddeuda'i ddim byd am safon y gwaith o'r tu allan.'

'Isio ichi weld y lle tu mewn,' bytheiriodd Befehlnotstand. 'Mae'n gwilydd, ydi wir.'

'Hyderaf y caf gyfle i wneud hynny'n fuan,' meddwn inna'n drachtio'r gwirod chwerw. 'Coblyn o beth ydi rhyfal am neud i bobol wastraffu unedau ynni.'

'Yn hollol! Swyddog o'r un anian â finna ydach chi! A'r holl garcharorion yma sgynnon ni, mae'n hollol afresymol y gost sydd hefo'r rheini! Honno ydi'r gost fwya ar ôl y gwaith trwsio pontydd, cronfeydd a ffatrïoedd; eu saethu nhw'n y fan a'r lle fydda ora. A chyda llaw, dyna fydda'i'n ei wneud yn bersonol, ond triwch chi gael pawb i gytuno!'

'Mae gennych bwynt,' meddwn inna'n dechra drwg-licio'r dyn. 'Clywais eraill yn dadlau y dylid saethu'r pontydd, y cronfeydd a'r ffatrïoedd hefyd cyn i'r gelyn ollwng eu taflegrau, ac wedyn fasan ninna ddim yn goro saethu lawr eu peiriannau nhwtha a chymryd carcharorion costus.'

'Ia, syr. Dyna ddamcaniaeth Shrwmpman. Ond yn ôl Rawsman mae gwaith cnoi cil ar y ddogfen eto. Mae'n amlwg eich bod chi, syr, yn o agos at y top? Ydwi'n iawn? Ho! Ho! Ho! Mi wyddwn! Mi wyddwn!'

Mi fuodd raid inni yfad potal arall o Wirod y Gwifrau wedyn a dim golwg symud arno fo felly mi gynigis fy esgusodion, 'gwaith yn galw'; chwinc wybodus a thap ar fy nhrwyn, clepio sodlau a'r bys uwd i'r llygad, bloedd o '*Zugang Zurüchschlagen*!' ac allan â fi i'r cwch gwenyn.

Os oeddwn i ar goll cynt mi roeddwn i'n saith gwaeth erbyn hyn wedi cael boliad o lysh. Ac a finna'n dechra gwasgu ar fy lwc braidd, mi ddylis i y bydda'n well imi fynd yn syth i lygad y ffynnon doed a ddelai.

Roedd haul egwan y pnawn yn boddi yn nhonnau budron y traeth-awyr ar y gorwel a'r tarth yn hel am doeau'r tai yn y ddinas islaw, ac roeddwn inna'n martsio'n awdurdodol tua gweithle gweithiwrs y tŵr newydd ar y degfad llawr ar hugain ym môn y tŵr.

'Lle mae'r giaffar?' meddwn i wrth saer maen boldew oedd wrthi'n cadw'i arfau yn ei sach.

'Mynd adra,' meddai hwnnw'n llwm.

'Ydach chi'n gwybod pwy ydw i?' mynnais inna'n gas.

'Yndw, syr,' meddai hwnnw a chodi'i sgwyddau. 'Wedi dŵad ynglŷn â'r sment ydach chi. Mi ddeudais wrth Schlacht y Giaffar. "Ddaw dim da o hyn, Schlacht," meddwn i. "Mi fyddant yn siŵr o ddŵad i wybod ac mi ddaw'r Buchhalter Kommando i'n holi ni ac wedyn mi fydd yma le."' Rhoes y saer maen ei fag arfau i lawr ac estyn ei ddwylo allan tuag ataf fi. 'Rhowch y gefynnau amdanaf, syr. Wnewch chi ddeud 'mod i wedi cyd-weithredu, syr?'

'Rhaid imi'n gynta archwilio'r lle tu mewn,' meddwn inna. 'Dowch hefo fi.'

'Dŵad, syr!'

'Pwy gowbois sydd wedi bod gennych yma'n plastro, weithiwr?' gofynnais a finna'n crafu'r gwynab hefo 'ngewin. 'Mi fydd hwn wedi swigo i gyd cyn pen dim.'

'Y fi a 'mrawd Gründlichkeit ddaru blastro, syr.'

'Galw dy hun yn grefftwr! Gwaith caib a rhaw! Be ydi dy enw a'th rif?'

'Gotthold Ephraim Saer Maen o Morgenglocke, syr. Tri ar ddeg chwech ar hugian dau a deugian. Ac a rhyngu'ch bodd, syr, ni fûm erioed mor hy â'm galw fy hunan yn grefftwr. Ond mi dwi'n rhad, a dyna pam fydd Schlacht y Giaffar yn rhoid gwaith imi, syr.'

'Pwy sy'n byw yn fan hyn, Ephraim Weithiwr?'

'Dwn i'm yn duwcs. Bedio i mi? Ond nelo'r holl newidiadau sydd wedi bod yma, fydd y lle ddim yn barod am un tri mis arall. Wrth gwrs, hefo gweithiwrs gonast i mewn rŵan a ninna'n y dyfnjwn, mi lasa ddŵad i ben yn gynt.'

'Mi glywais i fod yma eneth estron yn cael ei chadw yma, hi a'i mab?'

'Pwy, y stormas wyllt yna? A'r tinllach bach yna o fab sgynni hi? Rhedag yn wyllt drwy'r lle ac yn tynnu'i fys drwy'r plastar gwlyb ac yn gwastio amsar y dynion yn holi pob dim am y ddinas islaw hefo'i dameitiach papur. Mi fydd Schlacht y Giaffar yn mynd â'r diawl bach i'r gosbfa weithiau ond tydio'n dysgu dim.'

'Ond tydyn nhw ddim yn byw yma eto?'

'Rhaid i'r gwaith gael ei orffan gynta, syr.'

'Bydd siŵr. Wel, mi dwi am dy gymryd di i'r ddalfa rŵan. Mae'n amlwg dy fod ti'n euog o dwn i'm sawl trosedd. Ar dy ben i ddyfnjwn Rawsman i bydru am byth â chdi. Oes gin ti deulu?'

'Oes, syr! Diolch am feddwl amdanyn nhw! Ewch chi â negas atyn nhw oddi wrtha i?'

'Fydd dim angan hynny, garcharor. Mi fyddant yn dŵad atat ti i'r dyfnjwn. Fedrwn ni ddim caniatáu i bethau fatha chi gael eich traed yn rhydd hyd lle'ma'n llygru'r awyrgylch.'

'Na fedrwch, syr.'

'Ond mi dwi wedi blino braidd heno. Toes gin i mo'r mynadd i lenwi'r holl waith papur. Wn i be wna'i hefo chdi. Yn lle dyfnjwn Rawsman am weddill dy oes mi dy gloea'i di yn y tŵr yma dros nos. Pwy sy'n ddiawl lwcus, eh?'

'A rhyngu'ch bodd, fi sy'n ddiawl lwcus, syr . . . ond, syr, mi wnewch chi fynd â'r wraig a'r plantos i'r dyfnjwn yr un fath yn gwnewch?'

'Gwnaf, gwnaf. Rŵan, dos.' Ac mi gloeais i o yn y tŵr a dechra ymbalfalu drwy'r cysgodion am ben y grisiau. Ond toedd y twllwch yng Nghastall Entwürdigung yn ddim yn ochor twllwch Isfyd Triw fel Nos ac mi fedrais ffeindio fy ffordd heb draffarth yn ôl i'r ugeinfad llawr.

Troi cornal yn fan'no a dyma 'na gradur bach ffyrnig ar wib amdanaf fi a'r ddau ohonon ni'n rhowlio'n belan wyllt ar lawr. 'Bob dim da a ddaw i ben,' meddwn i wrthyf fy hun yn disgwyl clic y llifoleuadadau a chrensian traed y Cyrff heb Enaid.

'Gadael fi! Gadael fi!' gwaeddodd llais bach rwla y tu mewn i 'nghôt i.

'Allan o fan'na!' gwaeddis inna'n cydiad gafal mewn garddwrn bach styfnig.

'Dim mynd cosbfa. Dim mynd cosbfa,' meddai'r llais yn wylofus.

'Mae arna'i ofn mai'r gosbfa pia hi,' meddwn inna'n codi ac yn tynnu'r hogyn bach ar f'ôl. 'Mi wyddost na ddylat redag yn wyllt hyd lle'ma. Be ddyfyd dy fam pan glywith hi?'

'Motsh gan mam. Motsh gan Mam.'

'Lle mae dy fam ar hyn o bryd?' holais inna'n ei lusgo fo ar fy ôl.

'Yn cell ni. Hi ddim cael dŵad allan. Fi cael dŵad allan.' Roeddwn i'n falch i sylwi fod ei Alltudeg o'n dal yn glapiog ond dal i siarad Alltudeg hefo fo wnes i rhag ofn iddo fo ama pwy oeddwn i. 'Ar ei phen ei hun mae hi?'

'Na. Rawsman hefo hi. Holi heno.'

'Wyt ti'n cael mynd allan o'r castell, Calonnog?'

'Na ddim fi.'

'Fasach di'n licio cael mynd, yn lle goro mynd i'r gosbfa?'

'Baswn i.'

'Iawn! Faint o'r gloch mae dy fam yn dy ddisgwyl di?'

'Ar ôl Rawsman fynd. Dau ddeg un awr.'

Roedd hynny'n rhoid tair awr inni ac mi wnes yn fawr ohonyn nhw. Toedd o ddim yn fwriad gin i fynd â'r hogyn bach oddi arnach di, i'r gwrthwynab. Oeddwn i wedi dŵad i dy achub di ond wedi methu am y tro. Ond wedyn, mi fydd gymaint â hynny'n haws dy gipio di'r tro nesa a chditha ar dy ben dy hun, a finna wedi mynd â'r hogyn i le saff yn gynta. Mi fydd rhaid ichi och dau gilio i Tir Bach, wrth reswm. Ac mi fyddi di a finna'n cymodi a chditha'n gweld 'mod i'n dy garu di ac mi gawn fyw'n hapus a bodlon ynghanol Tir Bach a Tincar Saffrwm a Tami Ngralat yn cael dŵad i ymddeol i fwthyn yng nghesail y mynydd a Triw fel Nos yn ein croesawu ni'n ôl. Fel hyn oeddwn i'n meddwl a ninna'n disgyn fesul llawr i gyntedd y pyrth tro ond drwy'r cefn aethon ni allan a dim ond gwasgu'r rhif adwy i'r sgrins a'r sgrins yn meddwl na'r Dinesydd Bensaer Ernst Gewalt oeddwn i a'r swyddogion yn meddwl na swyddog yn y Buchhalter Kommando oeddwn i a neb yn ama dim ac un o'r gwarchodwyr yn rhoid fferins i Calonnog a hwnnw'n eu pwyri nhw allan wedi mynd heibio'r tro.

Wnes i ddim traffarth dychwelyd i Gorffwysfa ond mynd yn syth i Orsaf Rawsman II i chwilio oedd yna drenau'n rhedag. Calonnog ddeudodd wrtha'i ffordd i fynd i'r orsaf a fynta'n nabod y ddinas fel cefn ei law wedi treulio'i amsar yn y castall yn sbio i lawr arni o'r tyrau uchal ac yn gneud mapiau bach plentynnaidd i ddifyrru'r amsar ac yn cael y gweithiwrs i egluro iddo fo be oedd be. Toedd yna ddim trenau pobol yn rhedag a dim ond un trên nwyddau yn gadal y noson honno, yn mynd i gyfeiriad Coedwig Schadenfreude, ac mi aethon ninna i gyrion yr orsaf lle'r oedd y gola'n darfod. Dau warchodwr oedd arni yn ôl a welwn, un hefo'r taniwr a'r llall ar y cefn un. Felly pan lusgodd hi heibio inni doedd hi fawr o gamp imi sleifio hefo Calonnog yn fy mreichiau i'r cyplad rhwng dwy wagon ac i ffwrdd â ni.

'Lle ni mynd?' meddai Calonnog a fynta i'w weld yn mwynhau'r cyffro.

'Adra i Llawr Gwlad, fy ngwas i,' meddwn inna yn iaith ni, 'ac mi ddo'i i nôl dy fam wedyn, paid ti â phoeni dim.'

'Pam cheith Mam ddim dŵad heno? Ma gas gynni hi'r hen gastall hyll yna a'r hen sowldiwrs cas yna. Pwy wyt ti?'

'Gwern Esgus, 'mach i. Dwi'n nabod dy fam erstalwm ond hogyn bach bach oeddach di pan welis i chdi ddwytha felly fasach di ddim yn cofio.'

'Dwi 'di clwad Mam yn sôn amdanach di. Dwi'n meddwl bod hi'n gwitsiad amdanach di i ddŵad. Deu, mi fydd yn flin bod hi heb gael dŵad hefo ni heno'n bydd!'

'Bydd, 'mach i, mi fydd,' meddwn inna'n lapio fy nghôt yn dynnach amdano fo. Ar y gwastatir rhwng y ddinas a'r anialwch roedd fflamau trên yn llosgi yn goleuo'r nos a gwynab crwn Calonnog yn felyn aur a pherffaith a'i llgadau ar gau. Mi sodrais fy mwtsias yn dynnach i dalcan y wagon o'm blaen a gadal i gloncian rhythmig yr olwynion donni dros fy mhen.

Tystiolaeth Naw "''' yn dilyn . . .

'Wel wir dwn i ddim be i ddeud,' meddai Tincar Saffrwm a'i ên yng nghwpan ei law a ninna wrth y bwrdd te a Calonnog yn cael crempog hufan gin y Dywysogas Ngralat-Saffrwm.

'Wel cau dy ben 'ta a deud dim byd,' meddai Tami Ngralat yn taro'i arddwrn nes oedd ei ben o'n bowndian ar y bwrdd, 'a gad i rywun callach na chdi siarad am unwaith.'

'Dyn gwirion wyt ti yndê, d'Ewyth Saffrwm,' chwarddodd Calonnog a llond ei fochau o grempog.

'Chlywis i rioed am neb yn dianc o Gastall Entwürdigung o'r blaen,' medda hi wedyn, 'ac i groesi'n ôl i Llawr Gwlad wedyn, mae hi'n wyrth!'

'Dwi 'di neud o! Dwi 'di neud o!' gwaeddodd Tincar Saffrwm.

'Naddo tad! Rŵan bydd ddistaw,' medda hitha'n ffrom. 'Tydio'n bechod na fasa hitha yma hefo ni, fasa gynnon ni'm poen yn y byd wedyn.'

'Hy! Mi fasa hwn yn siŵr o gael hyd i rwbath i gwyno amdano fo,' meddai Tincar Saffrwm yn llaesu'i weflau. 'Y llaprwth diffrwyth iddo fo mi faswn i'n . . . '

'Paid â chymryd sylw ohono fo, Gwern bach,' meddai Tami Ngralat. 'Toes yna fyd hefo chdi dŵad, Tincar Saffrwm?'

'Byd! Oes, byd a byda!' gwaeddodd hwnnw'n cynhyrfu drwyddo.

'Oedd o wedi dŵad mor dda tro dwytha welis i o,' meddwn inna.

'Mae hwn fel y gwynt, 'ngwas i. Mi all droi ar amrantiad. Mi ddaw'n iawn rŵan wedi cael ei banad, gei di weld.'

Ac mi ddoth yr hen Tincar Saffrwm yn well ar ôl ei banad hefyd ac mi aeth allan i chwara hefo Calonnog i'r ardd gefn. Mi fedri di fentro nad ydi Tincar Saffrwm fawr o giamstar ar y grefft o drin gardd ond mi fydd o'n licio galw 'fy ngardd' ar y tocyn o gerrig a'r nialwch o ddrain y tu cefn i'w fwthyn. Ond bydd Calonnog wrth ei fodd hefo d'Ewyrth Saffrwm ac yn dysgu pob math o gastiau gynno fo a Tincar Saffrwm yn gwrando'n gegrwth arno fynta'n deud hanas Castall Entwürdigung.

Oeddwn i wedi penderfynu dychwelyd i Gwlad Alltud

ymhen yr wythnos ond dryswyd fy mhlaniau pan gyrhaeddodd Siffrwd Helyg i'r buarth heddiw'r bora ar gefn ei beic. Hitha'n glên i gyd ac yn deud 'mod i'n edrych yn dda ac yn holi am Tincar Saffrwm a'i wraig a finna'n deud eu bod nhw allan ond iddi hi ddŵad i'r tŷ am banad. Oedd Calonnog wedi mynd hefo nhw i'r pentra ar gefn ei ful bach hefyd ond ddeudis i mo hynny wrth Siffrwd Helyg. Oedd hi'n cadw'n dda iawn, diolch, ond wedi bod drwy brofiadau ofnadwy hefo'r Cyrff heb Enaid ac wedi cael ei chipio gynnyn nhw ac wedi cael ei chroesholi gan neb llai na Rawsman ei hun ond oedd hi wedi llwyddo i gael ei thraed yn rhydd a rŵan oedd hi ar ei ffordd i ymuno hefo Gwylliaid y Gwifrau oedd yn dal heb ildio'r Tiroedd Gwyllt i Gwlad Alltud. Roedd ysbïwyr Gwlad Alltud yn dew yn Llawr Gwlad medda hi.

'Glywist ti rywfaint o hanas Anwes y Galon wedyn?' gofynnis i iddi.

'Y rhampan bach wedi mynd drosodd at y gelyn yn do, rhag cwilydd iddi hefyd. Cael byw fel bonaddigas yn yr hen gastall yna ac maen nhw'n deud ei bod hi wedi ffeirio modrwyau hefo'r Rawsman dew yna.'

'Medda pwy?' meddwn inna wedi dychryn. 'Choelia'i fawr.'

'Coelia di be fynni di, del,' medda hitha'n goeglyd.

'Sut mae Wil Chwil erbyn hyn?' meddwn inna i droi'r stori.

'Mae hwnnw 'di'i biclo stalwm,' atebodd hitha'n ddi-daro, 'ac eitha gwaith â'r hen sgybarbado drewllyd ddeuda i!'

'Ddylis i bod chdi'n ffrindiau hefo fo.'

'Pwy? Y fi? Gwarchod pawb, be sydd ar dy ben di, Gwern? Beth bynnag, lle wyt ti arni ar hyn o bryd? Am fynd nôl i Tir Bach wyt ti? Petha'n rhy boeth ichdi aros ffordd hyn yn hir iawn eto ddeudwn i.'

'Ia, mae'n siŵr na dyna wna'i,' meddwn inna.

'Gadal Anwes Bach y Galon yng Nghastall Entwürdigung wnei di felly? Call iawn. Gwranda, mi ddo'i hefo chdi i Tir Bach. Mae gin i gneithar yn byw yno felly ga'i aros yno heb draffarth. Mi'r wyt ti a finna'n ffrindiau bora oes, a'n llwybrau ni'n rhedag o'r un lle, bechod inni wahanu eto, Gwern. Mi edrycha'i ar d'ôl di 'ngwas i, mae golwg 'di blino'n ofnadwy arnach di. Tyd i orfadd lawr am chydig ichdi gael dadflino, 'mach i. Tynna'r hen gôt yna, mi fyddi di'n esmwythach wedyn . . . '

Hudolas a hannar ydi hon meddwn i wrthyf fy hun yn clwad f'amrannau fi'n dechra cau a hitha'n fy arwain i gerfydd fy llaw i lofft Tincar Saffrwm.

'Tyd inni gael tynnu amdanom,' medda hi. Oedd hi wedi hannar tynnu amdani ac yn sefyll yna'n lodas nobl o 'mlaen i ac oeddwn inna'n cael traffarth canolbwyntio ar ddim byd arall.

'Pwy ydi dy gnithar di'n Tir Bach, Siffrwd?' meddwn i wedyn.

'Dwi'n meddwl dy fod ti'n gwybod yn o lew pwy ydi hi,' medda hitha'n gwenu arna'i.

'Be wyt ti'n awgrymu?' meddwn inna'n smalio bod yn ddiniwad.

'Ei defnyddio hi wnest ti yndê? A'i lluchio hi i'r naill ochor fel doli glwt ar ôl ichdi ddiwallu dy chwantau arni . . . Ond hen ast bach gomon fuodd hi rioed a toedd hi'n haeddu dim gwell felly bedirots?'

'Be wyt ti'n neud rŵan ond fy nefnyddio i 'ta?' meddwn i'n dechra cael llond bol ar hyn. 'Ac ella bod dim ots gin ti amdani, ond mi fuest yn sgut iawn yn deud yr hanas i gyd wrth Anwes Bach y Galon, y jadan sbeitlyd ichdi.'

'Y ci drain dauwynebog i chditha,' medda hitha'n gas. 'Roedd hi'n haeddu cael gwybod sut un wyt ti.'

'A sut un wyt titha felly, Siffrwd Helyg? Yn cario cleps i Anwes ac yn cario cleps i Fischermädchen a honno'n cario dy gleps di i Befehlnotstand a'r Cyrff heb Enaid, y fradwras bach ichdi!'

'Ha, ha, ha!' medda hitha'n plygu ac yn codi hefo llafn rasal yn ei llaw. 'Wel pwy sy'n hogyn bach clyfar 'ta? Rhy glyfar o'r hannar ddeudwn i. Mi dy sleisia'i di fel bacwn, y cyw gog ichdi!' a hitha'n mynd amdana'i ac yn tynnu'r llafn ar draws fy mraich noeth i ac yn ei hagor hi fel gwddw mochyn a'r gwaed yn lledu dros y cynfasau a hitha'n mynd amdanaf fi eto ond mi rowlis inna o'r ffordd a dal ei garddwrn hi a gwasgu lawr ar gefn ei llaw hi nes oedd y llafn yn disgyn o'i gafal hi a finna'n ei gipio fo.

'Tria di un tric steddfod arall fatha hwnna arna'i,' meddwn i'n dal y llafn o flaen ei llgadau hi, 'ac mi dy ddarnia'i di mor fân fydd hyd yn oed y brain yn codi eu trwynau ar y tameidiau. Rŵan gwisga amdanat a dos o'ma a paid â twllu'r lle 'ma eto.'

Oeddwn i ddim i fod i adal iddi fynd dwi'n gwybod. Ei lladd hi fasa unrhyw filwr cyflog arall wedi ei wneud a hitha'n ysbïwraig. Ond fedrwn i ddim, fedrwn i ddim meddwl am wneud. Roedd hi'n rhy fyw, yn rhy nobl ac yn rhy agos, ddim fel y morgrug sbydson ni ar wrthglawdd y gronfa. A fedrwn i mo'i chadw hi'n gaeth chwaith neu mi fasa wedi dŵad i wybod fod Calonnog yma, ac mi fasa wedi cael y gair allan rywfodd amdano fo.

Mi aeth hitha ar gefn ei beic a finna'n sefyll ar y rhiniog a'r gwaed yn rhydu ar y llafn rasal yn fy llaw a'r staen yn lledu drwy'r cadach am fy mraich.

Bore 'ma oedd hynny. Rhaid imi fynd rŵan yn ôl i Ddinas Entwürdigung cyn iddi dynnu'r byd a'i nain yn fy mhen yma. Ydi Sgrin y Gwifrau'n gweithio yn y tŷ 'ma? Reit dda. Copi o'r teithlyfr trydan, copi i chi yma, a nodyn wrth ei gwt. Damia'r ast bach 'na'n agor fy mraich i. Diolch byth na'r fraich chwith oedd hi. 'Annwyl Tincar Saffrwm, Tami Ngralat a Calonnog, mi wela'i chi mewn cwpwl o ddiwrnodiau. Mi fuodd Siffrwd Helyg yma ond ŵyr hi ddim byd am Calonnog. Dyma gopi o fy nheithlyfr, gobeithio nad oes yno fo ddim byd rhy gas am Tincar Saffrwm. Am y tro, Gwern.'

Yn llety Zählappell cliciodd y peiriant geiriau unwaith a llwytho'r ail gardyn i'r geg chwarae. Wedi colli noson o gwsg y noson cynt roedd Zählappell yn hepian yn braf yn ei gadair esmwyth a sylwodd o ddim ar y sgrin yn chwalu eto a'r ail gardyn yn cychwyn rhowlio'i eiriau:

Tystiolaeth Deg "" yn dilyn . . .

Annwyl Gwern, dwi newydd ddarllan y teithlyfr trydan. I be oeddat ti isio dŵad yn d'ôl? Rŵan mae gen i ddau dwll yn fy nghalon yn lle un. Mae Rawsman yn deud mai herwr pen-ffordd oeddat ti. Mae o wrth ei fodd yn taro'r pecyn geiriau i geg y sgrin a deud, 'Darllan o allan imi gael chwerthin, a darllan o mewn Alltudeg imi gael dallt!' 'Y pen bach hannar call yna' fydd o'n dy alw di. Mochyn o ddyn ydi o ond fy mod i'n gorfod ffalsio hefo fo neu fasa 'mywyd i ddim gwerth ei fyw. Ydi o werth ei fyw, sgwn i?

Mi fydd Siffrwd Helyg yn dŵad ata'i bob pnawn ac yn edliw imi dy anffyddlondeb di imi ac yn sôn mor agos oeddat ti at ei chneithar hi a'i bod hitha hefyd wedi bod hefo chdi ym mwthyn Tincar Saffrwm. Ond ŵyr Siffrwd Helyg ddim byd am dy deithlyfr di, achos Rawsman roes o imi a fydd o ddim yn sbio ar Siffrwd Helyg. Felly fydda'i'n gneud dim ond gwrando arni'n mynd drwy'i phethau'n gwybod mai clwyddau ydio i gyd ac mai amdanaf fi oeddat ti'n meddwl yr holl amsar, fel oeddwn inna'n hiraethu amdanat titha ond yn rhy falch i'w gydnabod. Taswn i ond yn gwybod hyn cynt pan fydda Siffrwd yn dŵad ataf fi am wydrad i Garrag Elin ac yn fy ngwenwyno i yn d'erbyn di. Mewn cariad hefo chdi oedd hi ond bod chditha ddim yn ei charu hi ac mi drodd y cariad hwnnw'n gasinab tuag atach di a tuag at Llawr Gwlad a phawb ynddi hi ac mi aeth i weithio i Fischermädchen. Dyna sut daethon nhw i wybod sut i 'nghipio fi a Calonnog heb i neb ddŵad ar eu gwartha nhw, a mynd â ni dan gêl i ganol Gwlad Alltud a 'nghloi fi i fyny yn y tŵr 'moethus' yma a dim byd i'w wneud drwy'r dydd ond pendwmpian. Calonnog oedd fy myd ac mi fues i bron â drysu pan aeth o ar goll a neb yn gwybod dim byd a finna'n meddwl mai un o driciau Rawsman oedd hyn i fy nghael i blygu a finna'n methu byta na chysgu na dim. Lle mae Calonnog rŵan, Gwern? Ydio hefo Tincar Saffrwm? Ydyn nhw wedi trio mynd am Tir Bach? Dwi'n dallt fod y llwybrau rhwng Llawr Gwlad a Tir Bach i gyd ar gau a dwi'n poeni'n ofnadwy beth sydd wedi digwydd. Calonnog druan. Taswn i ond yn cael gwybod rhwbath amdanyn nhw. Ac os ydyn nhw wedi cael eu dal ydi Befehlnotstand wedi eu lladd nhw fel bydd o'n gneud hefo'i garcharorion ynteu ydyn nhw ar eu ffordd i Ddinas Entwürdigung ynteu ydyn nhw yma mewn cell dan ddaear yn rhwla'n rhynnu ac yn galw am oleuni? Tasat ti'n fyw mi gawn atab gin ti, fy ngwas i, ond wn i yn y byd rŵan at bwy i droi.

Gwern, fy nghariad i, maen nhw wedi codi dy ben di ar bolyn o flaen pyrth y castall ac mae Rawsman yn mynnu fod yn rhaid i mi fynd i sbio arnat ti ond d'a'i ddim. Mae o'n ddyn mor greulon, Gwern, mae gynno fo gymint o ffyrdd i fy mhiwsio fi. Mae o wrth ei fodd yn cael y sglyfath Befehlnotstand yna i ddŵad i fyny hefo fo i'r tŵr ac mi fydd o'n deud, 'Eglurwch inni eto, Befehlnotstand, sut y daru chi ladd y llwynog bach lladronllyd.'

Ac mi fydd y cawr tew yna'n blorio fel oeddan nhw wedi dy amgylchynu di ar lan Afon Häfling, lle mae hi'n troi o Goedwig Schadenfreude am Ddinas Entwürdigung, a'r cyfnos yn oer a'r haul yn cochi'r dŵr a chditha ar gefn dy ful a nhwtha wedi saethu'r mul oddi tanat ti ac wedi cael sbort hefo chdi am chydig ac wedi dy ladd di cyn mynd i'w pebyll i fwrw'r noson ac nad oeddat ti ond brwynan o filwr a bod y chwedlau newydd amdanach di'n methu o le pell iawn ac mai cachgi bach llwfr oeddat ti ar y diwadd yn crefu am dy fywyd. Ond choelis i rioed un gair ddeudodd y basdad Befehlnotstand a choelia'i fawr yno fo eto chwaith.

O na baet ti'n dŵad eto i 'mreuddwydion i fel cynt, Gwern. Tyrd ata'i heno, mi hoffwn gysgu un waith yn dy freichiau di cyn tynnu'r llen. Anwes.

Clic arall o'r peiriant a'r trydydd cardyn yn disgyn i'w le, a'r sŵn yn aflonyddu peth ar freuddwyd Zählappell oedd ar y pryd yn breuddwydio ei fod o yn Archifdy Sgrins y Gwifrau yn hwyr y nos a neb ar ei gyfyl a fynta'n dewis pa bynnag gardiau geiriau a lluniau licia fo a chael eu chwara nhw ar y sgrins i gyd nes bod yr Archifdy'n fôr o liwiau ac o eiriau blith draphlith ar draws ei gilydd. Ar waetha clecian y peiriant, ddeffrôdd o ddim na sylwi ar y geiriau canlynol yn codi ar draws y sgrin:

Tystiolaeth Un ar ddeg "''' yn dilyn . . .

Gwern Esgus, mae'r hogyn yma'n distrywio'r tŷ 'ma am ein pennau ni. Fedar dau mewn gwth o oedran fel nacw a finna ddim rhedag ar ôl y mwnci bach drwy'r dydd. O, un annwyl ydio cofia, ddeuda'i ddim byd am hynny. Ac mae o wrth ei fodd yma yn awyr iach Tir Bach. Ges i gymorth gin weithwyr Pentra Newydd i godi cwt newydd yng nghesail Cwm Lleichiog. Mae o'n glyd fel nyth. Argol mi fuon ni'n lwcus i gyrradd yma wyddost ti, Gwern. Mi gaewyd y llwybrau i gyd dridia ar ôl inni gyrradd. Ond cofia, hefo'r cysylltiadau sgin i . . . oeddan ni'n lwcus i gael cyrradd o gwbwl. Ond mae hi'n braf yma rŵan, Gwern, y gwanwyn yn chwil hyd y gelltydd ac adar y llwyni wrthi bob ben bora'n 'marfar eu cân. Dim ond dychmygu fod y mulod yn ŵyn fasa raid ichdi ac mi ddyliet yn syth dy fod ynghanol Llawr Gwlad eto.

Mae wedi bod yn sgytwad hegar i Triw fel Nos, Gwern. Roedd o a Ceidwad yr Atab yn meddwl yn siŵr y basat ti wedi dŵad i'r adwy ar y drydadd awr ar ddeg. A mae rhyw hen ffŵl fatha finna, ddyla fod wedi ei gladdu stalwm, yn gweld dy golli di hefyd, 'ngwas i, ac mae meddwl am y diawlad yn dy ladd di, mae o'n fy nghorddi nes bydda'i'n methu gweld dim byd ac isio lluchio 'mreichiau allan i falu rhwbath ddaw dan fy llaw ac yn rhuthro allan ac yn gweiddi 'Gwern!' o bennau'r ffriddoedd ac yn chwilio amdanach di hyd y gelltydd ac yn galw dy enw di yng nghlust y nentydd ac mi fydd nacw'n deud fy mod i wedi colli fy limpin am byth ac yn bygwth mynd â fi'n ôl i'r Isfyd a finna'n 'cau mynd.

Ond wedyn fydda'i'n gwatsiad yr hogyn yn rhedag ras hefo'i ful bach ac yn ei helpu i godi tŷ ym mhen y goedan onnan tu cefn i'r cwt ac yn gweld yr haul yn twnnu o'i llgadau fo ac mi fydda'i'n meddwl, 'Callia, Tincar Saffrwm.' Mi fagith Tami Ngralat a finna'r hogyn dros Anwes a chditha ac un diwrnod mi ddweda'i wrtho fo be wnaethon nhw i chdi ar lan yr afon a Siffrwd Helyg wedi deud wrthyn nhw lle i guddio a nhwtha'n saethu'r mul oddi tanat ti a chditha'n cadw chwech o Gyrff heb Enaid draw a neb yn gallu dŵad yn agos atat ti ac yn dy saethu yn dy gefn a dy waed di'n cymysgu hefo cochni'r haul yn Afon Häfling a nhwtha'n torri dy ben ac yn ei gludo ar bolyn i Gastall Entwürdigung i'r brain ei gnoi o uwchben pyrth y castall, ac mi rodda'i dy deithlyfr trydan iddo fo ac mi fydd Calonnog yn etifadd teilwng ichdi, Gwern, ac mi ddaw dial am hyn o drais, o myn Duw mi a wn y daw.

Mi dwi'n dechra gwylltio eto rŵan, Gwern. Well imi gau'r sgrin am y tro. Tan yfory. Tincar Saffrwm.

Fi sy 'ma eto, Gwern, wedi bod am dro uwchben Pentra Newydd pnawn heddiw, Calonnog a finna, achos roedd Triw fel Nos isio imi ddŵad â fo i'r Isfyd iddo fo gael ei gyfarfod o. 'Fyddi di ddim ofn yn twllwch nafddi 'ngwas i?' meddwn i wrtho fo. 'Nafydda, Taid, os byddi di hefo fi,' medda fynta. 'Taid,' medda fo wedyn, 'bedi'r drws mawr coed yna yn ochor y clogwyn?' 'Dôr yr Atab ydi honno, Calonnog,' ac mi redodd y gwalch bach oddi wrtha'i ac agor Dôr yr Atab a dyma'r pnawn yn goleuo fel lluchio swits gola a'r pelydrau'n powlio allan drwy Ddôr yr Atab a llais Ceidwad yr Atab yn deud yn dawel, 'Tyd i mewn fy mab'.

Mae popeth wedi'i drefnu, Gwern! Mae o'n aros yma hefo ni tan nes bydd o'n ddigon hen i gychwyn hefo Triw fel Nos ac wedyn mi eith i fyw i'r Isfyd a studio wrth draed Ceidwad yr Atab ei hun! Ac mae'r Isfyd yn fôr o oleuni rŵan, Gwern, ddim pydew du fel bydda fo, ac mae Triw fel Nos wrth ei fodd a gwên ar ei wynab o. Dyn bach fatha finna ydi Triw fel Nos, Gwern, yn gwisgo siwt brethyn cartra a sgidiau croen llo ac weithiau'n smocio cetyn, fedri di goelio, Gwern? Tydwi ddim wedi cyfarfod Ceidwad yr Atab ond dyna fo, dwi'n siŵr ei fod ynta'n un clên hefyd.

Does yna ddim newyddion o Ddinas Entwürdigung, mae arna'i ofn. Ond mae Triw fel Nos yn gaddo trio'n helpu i i gael Anwes y Galon yn rhydd o'i charchar. Dwi wedi deud wrtho fo 'mod i'n rhoi'r gora i f'ymddeoliad ac yn mynd i'w cheisio. Be wyt ti'n feddwl o hynna, Gwern? Wyt ti'n cofio fel gwnes i dy helpu di a chditha'n Gwlad Alltud? Mi wneith yr hen Tincar Saffrwm o, ac os ca'i'n lladd wrth drio, pa gollad? Ac mae Tami Ngralat am ddŵad hefo fi! Wrth gwrs mi fydd rhaid inni aros tan nes bydd Calonnog wedi mynd at Triw fel Nos, ond toes ond blwyddyn neu ddwy tan hynny.

Roedd Sgrin y Gwifrau'n gwichian fel wats larwm ac yn fflachio'r neges 'DIWEDD' yn wyrdd ar draws y sgrin. Deffrôdd y clerc Zählappell ac estyn ei law i'w diffodd. 'O damia,' meddai Zählappell, 'noson arall yn y gadair. Jest fy lwc i'n cael rhyw sothach henffasiwn am y rhyfal eto. Pam na faswn i'n cael lwc rhywun fel yr is-archifydd Windesharfe yn cael cardiau geiriau hefo lluniau merched mewn lliw arnyn nhw?'

Cododd a gwthio'r llenni i'r naill du. Roedd y bore llwyd yn dechrau datod clymau'r cysgodion ac Afon Häfling yn llonydd fel plwm. Roedd y castell yn dywyll a dim ond ambell ffenest wedi ei goleuo'n felyn a'r seren wen ar gefndir gwyn yn nofio'n ei hunfan ar ei pholyn ar ben y tŵr.

'Faint ddiawl ydi hi o'r gloch? A'i byth yn ôl i gysgu rŵan, o damia hyn . . .'

Fel hyn oedd o'n cwyno'i fyd ac yn grwgnach yn biwis wrtho'i hun pan ddaeth cnoc ar y drws.